Renate Bergmann, geb. Strelemann, 82, lebt in Berlin-Spandau. Sie war Trümmerfrau, Reichsbahnerin und hat vier Ehemänner überlebt. Renate Bergmann ist Haushalts-Profi und Online-Omi. Ihre riesige Fangemeinde freut sich täglich über ihre Tweets und Lebensweisheiten im »Interweb« – und über jedes neue Buch.

Torsten Rohde, Jahrgang 1974, hat in Brandenburg/Havel Betriebswirtschaft studiert und als Controller gearbeitet. Sein Twitter-Account @RenateBergmann entwickelte sich zum Internet-Phänomen. Es folgten mehrere Bestseller unter dem Pseudonym Renate Bergmann und viele ausverkaufte Tourneen.

Renate Bergmann

Ans Vorzelt kommen Geranien dran

Die Online-Omi geht campen

Ullstein

Besuchen Sie uns im Internet:
www.ullstein.de

Originalausgabe im Ullstein Taschenbuch
2. Auflage Juli 2020
© Ullstein Buchverlage GmbH, Berlin 2020
Umschlaggestaltung: zero-media.net, München
Titelabbildung: © Rudi Hurzlmeier
Satz: Pinkuin Satz und Datentechnik, Berlin
Gesetzt aus der Amasis
Druck und Bindearbeiten: CPI books GmbH, Leck
Printed in Germany
ISBN 978-3-548-06261-7

Hier schreibt Renate Bergmann, guten Tag!

Urlaubszeit ist doch die schönste Zeit!

Nun könnten Sie sagen: »Frau Bergmann, Sie als Rentnerin haben doch *immer* Urlaub!«, aber das ist Quatsch. Sie wissen doch selber, wie das ist: Wenn man zu Hause bleibt, hat man sein Tun und kommt kaum zur Ruhe. Da müssen die verblichenen Gatten begossen werden, Katerle will versorgt sein, dazu die Einkäufe, der Haushalt, die Kehrwoche, der Seniorenverein … Dann ruft meine Freundin Gertrud an, weil was mit dem Hund ist, oder Ilse, weil Kurt weggelaufen ist – manchmal auch umgekehrt! – nee, ich sage Ihnen, man hat jeden Tag was auf dem Kalender.

Wenn man sich wirklich erholen will, muss man mal raus. Ich bin zweiundachtzig Jahre alt und meine Freunde, die noch da sind, haben auch in etwa so viel auf dem Buckel. Da muss man fahren, solange man noch kann. Wenn man nicht mehr allein in den Reisebus kommt und sie von hinten nachschieben müssen am Hintern – nee, dann will ich auch nicht mehr los.

Deshalb dränge ich darauf, dass wir jetzt reisen, wo wir es noch können.

Na ja. Jedenfalls wurde es letzten Sommer Zeit, mit Ilse und Kurt in die Ferien zu fahren. Mit meiner Jugendfreundin und Mitwitwe Gertrud war ich im Jahr davor weg mit dem Kreuzfahrtdampfer. Und da die gute Ilse im Grunde eine sehr eifersüchtige Person ist und man bei ihrem Mann Kurt mit seinen siebenundachtzig Lenzen auch nicht weiß, wie lange das noch geht, wurde es nun wirklich Zeit für Ferien mit Ilse und Kurt.

Gläsers waren schon lange nicht mehr in der Sommerfrische. Die machen nur Tagestouren mit ihrem Koyota. Ilse sagt, sie wären zu betagt. Na, denen habe ich aber was erzählt. Wir sind für gar nichts zu alt, wir sind höchstens schon ein bisschen länger jung. Ich sage immer: »Ich bin auf der Zielgeraden meiner besten Jahre«, wenn mich unverschämterweise jemand nach meinem Alter fragt.

Was meinen Se, was ich quasseln musste, bis die beiden zustimmten. Aber als ich sie rumgekriegt hatte, war Ilse Feuer und Flamme und hätte am liebsten gleich gepackt. Sie wollte unbedingt nach Obererbslingen (das müssen Se gar nicht beim Gockel nachschlagen, das gibt es nicht mehr. Das war ein Zeltplatz im Harz, wo Gläsers vor *Jahrzehnten* ein paarmal kampiert haben). Ilse hat gleich telefoniert und musste erfahren, dass sie nicht nur den Platz geschlossen haben, sondern den ganzen Ort. Da steht jetzt ein Krematorium. Das war ... das ist ... also, das kam nun wirklich nicht infrage.

Sogar Kurt, der eigentlich ein einsilbiger Knochen ist, war ganz beseelt von den Erinnerungen an die schönen Zeiten. Er kann sich nichts merken. Wenn Se den einkaufen schicken nach Brot und Milch, kommt der mit Zigarren und Butter wieder, und Ilse muss doch noch mal los. Aber wie teuer 1973 am Zeltplatzkiosk das Bier war, das weiß der! »Vierzig Pfennige das Glas!«, erinnerte er sich triumphierend. Seine Augen leuchteten, das hätten Se mal sehen sollen.

Wissen Se, ich bin da irgendwie reingeraten. Ich dachte ursprünglich, wir würden uns ein gediegenes Hotel in einer schönen Gegend suchen, wo wir mit dem Zug hinkommen. Wir würden wandern, im Kurpark flanieren und uns vielleicht auch mal mit Schlamm bepacken lassen. Aber für Gläsers bedeutete »Urlaub« automatisch: Wir fahren an den See, schlafen im Zelt und essen Nudeln aus der Büchse.

Herrje!

Ich habe dann all meine Überredungskünste aufbieten müssen, dass wir wenigstens so ein großes Gefährt nehmen, einen Campingbus mit richtigem Bett und Toilette. Ich schlaf doch nicht mit einer Matte aus Stanniolpapier unterm Po auf dem schieren Waldboden! Ich bitte Sie, in unserem Alter! Das macht doch der Rücken nicht mehr mit. Bei Ilse ist das Knie operiert, Kurts Rücken ist »eine Anreihung von Blockaden« (hat Professor Puder gesagt, und der Mann ist eine Kapazität!), na, und ich mit meinem Ersatzteil im Hüftbecken, ich wollte nicht mal daran *denken*, in einem Zelt zu schlafen! Aber so ein Bus mit bequemem Bett drin? Das könnte mir gefallen.

Na ja, ich will jetzt hier noch nicht zu viel verraten, sonst legen Se das Buch gleich wieder weg. Wir hatten jedenfalls drei Wochen mit schönen gemütlichen Stunden, aber auch viel Aufregung. Stefan hat uns letztendlich zum Campingplatz gefahren. Er hatte fast noch mehr Schweiß auf der Stirn als der Vermieter von diesem Campingbus, als Kurt zunächst darauf bestand, selbst zu fahren. Kurt hat dann nur einmal eine kleine Runde auf dem Zeltplatz gedreht, und das war schon schlimm genug. Bald drei Stunden lang haben wir gebraucht, die Sardinen wieder einzuklopfen, das Vorzelt aufzubauen und Frau Hupe zu beruhigen. Der hat Kurt nämlich die Hängematte abgerupft mit dem Campingbus. Ich musste ihr zwanzig Tropfen Melissengeist auf einem Stück Würfelzucker geben.

An einem Wochenende kamen uns Stefan und Ariane mit den Kindern besuchen. Na, da wurde es aber ganz schön eng! Zum Glück gab es ein Hotel gleich in der Nähe, wissen Se, das war praktisch. Da konnte ich mal baden. Das ist ja auf so einem Zeltplatz doch alles ein bisschen primitiv. Man hat zwar Duschen, aber die sind auf uns Alte nicht so gut eingestellt. Einen Duschhocker suchen Se da vergebens, und nach zwei Minuten muss man neu drücken, wenn man Warmwasser haben will.

Wir haben Stockbrot am Feuer gebacken und sogar im See gebadet. Hubert, was das Pony von Frau Saldini ist, ist ausgebüxt und an den FKK-Strand gerannt, denken Se sich nur! Das gab ein bisschen Ärger mit Ilse, weil Kurt sehr lange weg war zum Einfangen. Kurt hat sogar seine Brille aufgesetzt. Das machte er nicht mal, als er auf der Satellitenantenne Fußball eingestellt hat. Wir haben uns auch mit dem Platzwart arrangiert, dem Herrn Habicht. Günter Habicht, ein gnaddeliger, miesepetriger Zeitgenosse, der im Dorf nebenan lebt und sich auf dem Zeltplatz und im Altenheim als Hausmeister was dazuverdient, indem er die Leute anfaucht, die über die frisch geharkten Wege laufen oder gar singen.

Aber ich bin ja schon mitten beim Plaudern, ich wollte doch nur kurz berichten, dass ich in Urlaub war. Wie das so ist – wenn einer eine Reise tut, dann kann er was erzählen!

Freuen Se sich drauf?

Bevor wir loslegen, muss ich aber rasch die guten Gläser polieren. Heute Abend kommen nämlich alle zum Diaabend, da gucken wir die schönen Bilder an, die wir in den Ferien geknipst haben.

Viel Vergnügen wünscht

Ihre Renate Bergmann

Wissen Se, auch eine Renate Bergmann muss mal raus und ausspannen. Aber ich bin keine, die bis ans andere Ende der Welt fliegen oder fahren muss, nur um mal die Füße hochzulegen. Mit dem Auto kann man einfach losfahren und muss nicht durch eine Kontrolle wie am Flughafen. Wo einem eine Frau in Uniform erst mal am Hüfthalter rumspielt, bis es bei ihr nicht mehr piept! Man kann auch unterwegs hart gekochte Eier und ein Leberwurstbrötchen essen, ohne dass einer dumm guckt, und Bohnenkaffee aus der Thermoskanne ist Bohnenkaffee und keine gefährliche Flüssigkeit. DASS ICH DAS FLUGZEUG IN DIE LUFT SPRENGEN WILL, HABEN DIE MIR MAL UNTERSTELLT, DENKEN SE SICH NUR!

»Warum in die Ferne schweifen, wenn das Gute liegt so nah?«, hat schon der olle Goethe geschrieben, unser Dichterfürst. Aber nicht nur er, auch meine Oma Strelemann sagte immer: »Wenn ich den See seh, brauch ich kein Meer mehr.« Was sollte se auch sagen, wissen Se, die ist ja nie ans Meer gekommen. Höchstens, allerhöchstens, hat Opa, wenn das Heu eingefahren war und wir alle zerkratzt von den Disteln waren, den Braunen angespannt, und wir sind an den Anger nach Steck-

mannshorst rausgefahren und haben im Dorfteich gebadet. Ach, das waren Freudentage! Wann war denn dafür
mal Zeit, frage ich Sie? So gut wie nie! Wir hatten zu tun
im Stall und auf dem Feld. Die Handvoll Abende, an denen Opa mit uns an den See fuhr, waren glückliche Tage,
die sich mir in die Erinnerung eingebrannt haben und
an die ich mich noch heute entsinne. Oma und Mutter
halfen sich gegenseitig verschämt hinter dem Holunder-
busch aus den Korsagen und Hüfthaltern, während wir
Kinder – der kleine Fritz, was mein Bruder ist, und ich –
einfach die Kleider runterrissen und wie die Derwische
ins Wasser flitzten. Wie oft rief Mutter noch mahnend
hinterher, dass wir langsam machen und uns vorsichtig
den Puls runterkühlen sollten, damit wir keinen Herz-
schlag kriegen, aber da hörten wir gar nicht hin. Wir
waren wie zwei Wirbelwinde und nicht mit dem Lasso
einzufangen oder von guten Worten zu bremsen.

Opa ging nicht ins Wasser, der konnte nicht schwim-
men. Der blieb am Kutschbock oder ließ höchstens ab
und an das Pferd ein bisschen mit den Hufen im Wasser
planschen. Also, ganz vorne, wissen Se, wo das Wasser
einem, wenn eine kleine Welle kommt, die Füße umspielt
und ein bisschen kitzelt. Das mochte unser Brauner.

Wenn Oma und Mutter irgendwann fertig waren, sich
aus ihren Geschirren zu knüppern, schlüpften sie verschämt und vom Gebüsch getarnt in ihre Badekleidchen
und gingen dann ganz, ganz langsam bis zu den Knö-
cheln ins Wasser. Aber nur, um dann »Huch, ist das kalt!«
zu rufen und sich fröstelnd die Ellenbogen zu reiben.
Alsdann fingen sie vorsichtig an, sich Seewasser mit den
Händen über die Arme zu reiben, damit sie sich langsam dran gewöhnten. Was meinen Se, was wir Kinder

für einen Spaß dabei hatten, sie nass zu spritzen! Oma schimpfte wie ein Rohrspatz und drohte uns mit Stubenarrest, aber wir hörten gar nicht hin. Heute sind die Kinder ja froh über Stubenarrest. Wenn Se denen richtig ans Leder wollen, da müssen Se Fernsehverbot aussprechen und das Händi abnehmen, dann wird erst geflennt. Oma Strelemann musste aber auch lachen beim Schimpfen, und außerdem wussten wir Kinder genau, dass bei der Ernte und bei der Arbeit im Stall jede Hand gebraucht wurde, selbst die von uns Kleinen.

Nach drei-, viermal Aufstampfen mit den Füßchen waren Oma und Mutter so nass, dass sie gar nicht mehr daran dachten, wie kalt ihnen eben noch gewesen war. Sie schwammen eine kleine Runde im See, und wir Kinder planschten mit. Allein durften wir nicht weiter raus als bis zur Hüfte, aber mit Mutter und Oma paddelten wir bald eine halbe Stunde und drehten eine große Runde. »Wie eine Entenfamilie«, rief Opa Strelemann vom Ufer aus und mahnte, dass es nun reichte und wir rauskommen sollten. Pah! Da waren wir uns aber alle vier einig, der konnte warten! Wir waren ja sicher im See, der kam schon nicht rein, um uns zu holen. Hihi! Als wir wieder im Flachen waren, wo wir gerade stehen konnten, tobten wir noch ein kleines Weilchen, und erst als Opa am Ufer wütete wie Rumpelstilzchen, setzten wir uns wieder zu ihm auf den Kutschbock und fuhren heim.

Opa wusch sich an solchen Abenden auf dem Hof unter der Pumpe. Fritz und ich mussten abwechselnd mit aller Kraft, die wir kleinen Geister hatten, den Schwengel runterdrücken, und Opa stand unter dem eiskalten, klaren Brunnenwasser. Dann waren wir alle sauber und erfrischt und saßen nach dem Abendbrot, eingemummelt in eine Decke, noch draußen auf der Bank unterm Birnbaum, und manchmal erklärte uns Opa die Gestirne am Himmelszelt.

Opa Strelemann wusste da gut Bescheid, und deshalb kenne ich mich auch ein bisschen aus. Mir kann keiner ein X für ein U vormachen, und auch keinen kleinen Wagen für einen großen Bären. Ach, Opa kannte sich aus mit dem Mond und fabulierte stundenlang darüber, dass Regen kommt, wenn der Mond einen Hof hat. Das sagte er aber auch, wenn eine Wolke hinter »Schultens Schüne«, was so viel hieß wie »Schulzes Scheune«, zu sehen war. Opa packte überall Wetterregeln rein: Egal, ob der Hahn heiser war oder seine Schusswunde am Hintern juckte – für Opa bedeutete das: Es gibt Regen. Es kam zwar fast nie Regen, aber das warf ihn nicht aus der Bahn.

Na ja. Im Grunde glaube ich, dass meine Kirsten ein bisschen nach ihm schlägt. Dieses Mondzeuchs, wissen Se … ich träume ja auch manchmal alb, wenn Vollmond ist. Das kommt schon mal vor. Aber am nächsten Abend nehme ich dann ein paar Tropfen Baldrian und einen strammen Korn, und dann schlafe ich wieder durch wie ein Murmeltier. Es ist was dran, irgendwas macht der Mond mit uns. Aber manche Menschen machen auch was mit dem Mond, meine Kirsten hat ja richtig ein Geschäft draus gemacht. Sie bietet Vollmond-Joga an oder Pilates bei Neumond. Für Frauchen wie für die Kätzchen. Für jede Stunde gibt es einen Stempel auf dem großen Mondausweis, und wer achtzehn Stempel zusammenhat auf der »Großen Energiebahn von Mutter Luna«, der kriegt eine Jogamatte. Die Dinger hat sie billig im Interweb bestellt aus China. Tausend Stück haben sie keine hundert Euro gekostet. Die Dinger liegen in der Gartenlaube zum Auslüften, weil sie schlimmer nach Schemie stinken als diese Jenkie-Kendie-Kerzen. Eine Kursstunde kommt auf achtundzwanzig Euro bei Kirsten, dafür passt sie auf, dass alle richtig ein- und ausatmen und den Rücken schön durchdrücken. Rechnen Se mal! Da ist so eine Jogamatte gut drin, wenn die Stempelkarte voll ist.

Sie hat seinerzeit aber auch nicht aufgepasst beim Bestellen. Da kann se noch bis zur Rente den Mond anbeten, bis die alle weg sind. Wissen Se, mir war das ja eine innere Genugtuung. Ich wurde jahrelang aufgezogen, weil ich seinerzeit, als ich das Scheibchentelefon neu hatte und beim Ebai »Gefällt mir« am Kleid von Lady Di gedrückt habe ... na ja, Sie ahnen, was passiert ist. Es war teuer, aber es ist ein wirklich schönes Kleid. Sie können sich denken, dass die Geschichte bei wirklich *je-der* Familienfeier aufs Tableau kommt. »Wisst ihr noch, als Mama damals dreitausend Euro für ein getragenes Kleid ausgegeben hat, weil sie im Internet nicht aufgepasst hat?«

Jajajajaja!

Nun hat Kirsten aber selbst nicht richtig geguckt bei ihren Matten. Es war tatsächlich alles sehr unübersichtlich und auf Englisch auf dieser Webs-Seite, das muss man zugeben. Sie hat bei Menge »zehn« ausgewählt, aber nicht gelesen, dass im Kleingedruckten stand, dass es nicht Stück, sondern Kartons sind. Und so ein Karton ist groß, sage ich Ihnen! Ich war gerade in der Küche und machte mir Frühstück. Wissen Se, wenn ich bei Kirsten auf Besuch bin, habe ich immer meine Aufschnittdose von zu Hause mit, von ihrem ewigen Pastinackenaufstrich wird mir ganz schwummerig auf Dauer. Die Dose darf in den Kühlschrank, muss aber unten in das Fach für das Katzenfutter. »Sonst geht die Fleischenergie auf die Möhren«, sagt sie … wie auch immer. Mir macht das nichts. Zu Hause habe ich Katerles Fresschen auch mit im Kühlschrank. Katzenfutter ist besser kontrolliert als Babybrei, da sind nur saubere und gesunde Sachen drin! Wie gesagt, es macht mir überhaupt nichts aus, dass ich, ihre arme, alte Mutter, meine Wurst zu ihrem Katzenfutter stellen muss!

Wo war ich?

Ach ja. Ich machte mir gerade mein Frühstück – eine Schnitte mit dünn Leberwurst –, da fuhr ein großer Lkw vor und lud die Kisten aus. Ich habe nichts gesagt, während Kirsten wie wild abwechselnd auf dem Computer und auf dem Telefon rumklopfte. Während sie noch versuchte, in China einen an die Strippe zu kriegen, habe ich mit ihrer Nachbarin die Kartons in die Laube getragen. Schwer waren die ja nicht, nur sperrig. Ja, wissen Se, ich bin eine praktische Person, die die Probleme anpackt und nicht lange laminiert.

Lamentiert, meine ich.

Nun habe ich Ihnen einfach von Kirsten erzählt, ohne Sie groß vorzuwarnen. Normalerweise bereite ich die Leute immer mit ein paar Worten vor. Jetzt sind Se jedenfalls im Bild. Meine Tochter ist speziell, aber liebenswert. Kirsten wohnt nicht in Berlin, sie lebt und … entfaltet sich im Sauerland. Da macht sie so allerlei esoterischen Humbug. Sie lässt mich im Grunde mein Leben leben und ich sie ihrs, aber wenn bei mir was Außergewöhnliches ansteht, will sie gefragt werden. Also, wenn ich neue Gardinen kaufe, wenn Frau Doktor andere Tabletten verordnet oder ich verreise.

Ja, wenn man über achtzig ist, kann man nicht einfach sagen: »Ich fahre mal in den Urlaub, tschüss, meine Lieben, ich bin in drei Wochen wieder da.« Nee!

Einerseits hat man seine Verpflichtungen: Katerle ist zu versorgen, vier Gräber sind zu gießen (und zwar auf vier verschiedenen Friedhöfen!), die blaue Tonne muss rausgestellt werden, und mit der großen Hausordnung ist man in den drei Wochen auch mal dran. Aber das ließ sich alles regeln. Wissen Se, ich habe ja den netten Herrn Alex in der WG in meinem Haus wohnen. Den habe ich gebeten, nach Katerle zu gucken. Für Blumen haben Männer jedoch einfach kein Händchen. Herr Alex ist wirklich auf Zack im Haushalt, der kocht, er macht seine Wäsche selbst und alles – da könnte sich sogar die Berber noch was abgucken. Aber er ist eben ein Mann und hat seinen Tunnelblick. Wenn man Männern sagt: »Katze füttern«, füttern die die Katze. Aber denken Se mal nicht, die wischen anschließend den Napf aus. Das hatte ich aber alles ausführlich mit ihm besprochen, und die beiden mögen sich ja auch. Katerle scharwenzelt Herrn Alex mit aufgestelltem Schwanz um die Beine und schnurrt ihn an. Das macht er nur bei Leuten, die er mag. Bei der Berber faucht er und versteckt sich unter der Couch, ganz weit hinten. Nee, die beiden würden schon prima klarkommen, und wenn Herr Alex das Katerle wirklich vergessen sollte – das machte sich schon bemerkbar. Das stellt ein Geschrei an, das können Se sich kaum vorstellen! Aber die Blumen können nicht maunzen. Ich halte wirklich große Stücke auf Herrn Alex, das merken Se ja, aber in dem Fall wusste ich schon, wie das ausgehen würde. Ich würde nach den drei Wochen Urlaub vor vertrockneten Töpfen stehen, und Herr Alex würde sagen: »Ach, *die* Blumen hätte ich gießen sollen? Regnet's denn nicht auf den Balkon? Ich dachte, die in der Wohnstube!«, derweil ich moderig stinkende Brühe aus den Zimmerpflanzen kippte.

Nee, nee, es half nichts. Die Geranien mussten mit! Gucken Se nicht so! Wissen Se, die haben viel Geld gekostet, und wenn man die mitten im Sommer drei Wochen nicht gießt, kann man gleich die Zehnmarkscheine zum Fenster rausschmeißen. So ein Wohnwagen ist doch auch gleich viel gemütlicher und wohnlicher, wenn man was von zu Hause mithat. Und es wirkt auch sympathisch und einladend auf die anderen Zelter, die wissen dann gleich, dass wir nicht nur für eine Nacht bleiben und dass da nette Leute wohnen, mit denen man ins Gespräch kommen kann. »Wo man singt, da lass dich nieder, böse Menschen kennen keine Lieder«, heißt ein Sprichwort, aber ich sage Ihnen: »Wo man gießt, da lass dich nieder, nette Menschen wässern ihren Flieder.« Na ja. Wir hatten keinen Flieder, aber das reimt sich sonst nicht. Sie verstehen schon, was ich sagen will.

Aber viel wichtiger, als Gießen und Füttern zu organisieren, ist, dass die lieben Anverwandten ein gewichtiges Wort mitreden wollen, wenn eine Renate Bergmann verreist.

Meine Erfahrung ist, dass man am besten mit offenem Visier spielt und gleich Bescheid gibt, was man vorhat. Wenn sie es hintenrum erfahren, dass man einen Urlaubsausflug plant, spielen sie sich nur noch mehr auf.

In meinem konkreten Fall sind das meine Tochter Kirsten und mein Neffe Stefan. Der Stefan ist ein Neffe meines verstorbenen ersten Mannes Otto. Der und seine Frau Ariane wohnen hier gleich um die Ecke in Spandau. Sie haben zwei entzückende kleine Mädchen, die Lisbeth und die Agneta, und ein Häuschen, und sie haben ordentliche Berufe und ticken ganz normal. Die sind dichte bei und haben ein Auge auf mich. Das ist beruhigend im Alter. Bei denen und bei meiner Kirsten musste ich sozusagen die Genehmigung einholen für die Urlaubsreise, sonst gäbe das nur wieder eine Aufregung und am Ende noch Händiverbot für mich.

Ariane war nun gar nicht für das Zelten zu begeistern, aber das war mir egal, sie sollte ja auch nicht mit. »Tante Renate«, sagte sie zu mir, »wenn Gott gewollt hätte, dass wir im Campinghänger schlafen, hätte er keine Betten erfunden.« Ich habe da lange drüber nachgedacht. Es macht überhaupt keinen Sinn! Wissen Se, ich bin nur Gelegenheitskirchgängerin, aber dass der liebe Gott die Betten erfunden hat, wäre mir neu. Ich will den Herrn Pfarrer auch nicht darauf ansprechen, sonst gibt das nur wieder Diskussionen und der Messwein wird weggeschlossen. So wie neulich, als er vorne anfing mit »Vater unser im Himmel« und Opa Krämer neben mir auf der Bank »Und unse Mutter inne Küche« fortsetzte. Nun raten Se mal, wen der Herr Pfarrer da wieder böse anguckte, weil sie lachen musste? Nicht Opa Krämer, nee! Mich!

Ich entschied einfach, dass Ariane Quatsch erzählte. Quatsch mit Soße. »Jeder Jeck ist anders«, sagt der Kölner, und wissen Se: Das ist auch gut so. Einer mag keinen Rosenkohl, einer keine Rosinen, und Ariane mag eben nicht zelten. Soll se! Aber das dem lieben Gott in die Schuhe zu schieben, ist Blödsinn. Mir sollte es egal sein, die jungen Leute sollten eh nur ihren Segen geben, dass ich mit Ilse und Kurt urlauben durfte, mehr wollte ich doch gar nicht. Es wäre auch recht eng geworden mit Stefan, Ariane und den Kindern noch zusätzlich zu uns Alten im Karneval.

Kormoran.

Karavan.

Sie wissen schon.

Die erste Hürde hatte ich jedenfalls genommen, aber dann kam mir Stefan wieder mit dem Alter.

»Tante Renate, du bist zweiundachtzig Jahre alt«, begann er.

Ach was. Das war ja ganz was Neues.

»Stefan«, sagte ich also bestimmt. »Nun komm mal an im neuen Jahrhundert! Ein Fünftel davon ist schon wieder rum, und du denkst immer noch, heute achtzig Jahre alt zu sein ist so wie früher!«

Ich fuhr dem gleich in die Parade und ließ ihn gar nicht groß seine Zweifel breittreten.

Achtzig ist doch heute wirklich kein Alter! »Achtzig ist das neue Sechzig«, habe ich letzthin gelesen, und im Grunde fühle ich mich auch nicht anders als mit sechzig. Früher, ja, da war man mit achtzig alt. Da saß man nur noch zu Hause und wartete, dass Gevatter Tod einen holte. Da kamen zur Überbrückung, bis der Gevatter sich bemüßigte, ab dem achtzigsten Geburtstag schon der Pfarrer und der Bürgermeister zum Gratulieren, und die Gemeindeschwester sowieso, weil achtzig ein hohes Alter war. Heute sind die Pillen so spitze, dass es keine Kunst mehr ist, sogar neunzig zu werden. Die Leute werden alle älter, und das schafft kein Bürgermeister mehr, da bei jedem Achtzigsten an der Tafel zu sitzen und sich zwei Glas Likör »reinzuzimmern«, wie Stefan neuerdings immer sagt. Wenn es der Kalender zulässt, kommen die eventuell ab neunzig. Aber es hängt nicht vom eigenen Terminkalender ab, sondern von dem des Lokalreporters. Passen Se auf, ich erkläre Ihnen die Zusammenhänge, bei Renate Bergmann können Sie noch was lernen:

Der Bürgermeister kommt nur, wenn auch die Presse da ist. Dem geht es nämlich nicht um den Opa, sondern darum, in die Zeitung zu kommen. Mit so was punktet der doch bei seinen Wählern, wenn der mit einem Blumenstrauß dem Opa Krauspe die Hand schüttelt und dann den Frankfurter Kranz anschneidet. Das gibt schöne Bilder, da freut sich der Politiker. Der Lokalreporter schreibt noch einen netten Artikel, wie viele Kinder der Opa Krauspe hat, wie lange er mit seiner Elfriede verheiratet ist, und zum Schluss, dass er noch gut beieinander ist und jeden Tag interessiert den *Spandauer Boten* liest, den er selbstverständlich abonniert hat. Kostet als Probeabo nur neun Euro neunzig im Monat und kann jederzeit gekündigt werden, klicken Se bitte hier, und dieses schöne Topfset bekommen Se noch dazu.

Die Presse kommt aber nur zum Opa Krauspe, wenn der ein Abo hat. Die kommen ja nicht zu jedem x-Beliebigen! Deshalb hat die Sekretärin vom Bürgermeister auch einen guten Draht zur Zeitung und zum Einwohnermeldeamt. Die Frauen machen alle zusammen so Cowboytanz, wissen Se, wo se in Stiefeln und karierten Hemden in einer Linie steppen. Leinen-Tanz. Da lassen die den Franz vom Datenschutz schon mal einen guten Mann sein und gleichen ihre Listen ab, und so weiß die Elvira aus dem Bürgermeisterbüro, wer wann neunzig wird und ob er die Zeitung abonniert hat. Wenn das passt, schreibt sie es schon mal mit Bleistift in den Bürgermeisterkalender, und meist läuft es dann auch. Für die Zeitung ist es ja auch schön, wenn da das Stadtoberhaupt mit auf der Geburtstagscouch sitzt. Eine Winkwink-Situation, wie die jungen Leute sagen.

Zu allem Überfluss tanzt die Frau Schlode vom Kindergarten auch mit in der Cowboytruppe und sperrt sofort die Ohren auf, wenn sie das Wort »Geburtstag« hört. Das ist eine einzige Kultur- und Gratulationsmafia, sage ich Ihnen! Wenn Cornelia Schlode von so einem Anlass erfährt, läuft sie dort mit den Kindern auf und singt »Weil heute dein Geburtstag ist«, bis der Kaffee kalt ist. Nee, da muss man immer ein Auge haben und besser am Tag vorher noch mal anläuten, wann denn der Empfang mit den Honoratioren und der Presse geplant ist. Da rechne ich dann zwei Stunden drauf, damit der Kinderchor auch wirklich ganz sicher seine Strophen fertig gesungen hat, und erst dann gehe ich hin zum Gratulieren.

Es gibt so viel zu bedenken!

Bei den Lokalberichterstattern muss man auch ganz, ganz vorsichtig sein und sich den Artikel am besten vor dem Drucken noch mal zeigen lassen. Das kann sonst sehr böse in die Hose gehen! Die sind immer so gehetzt, da passieren dann Pannen. Die gabeln mit der einen Hand die Torte in sich rein und mit der anderen machen sie sich Notizen, die sie aber später selber nicht mehr lesen können, und im Kopp sind sie schon beim nächsten Termin. Wenn die Feuerwehr eine Goldene Ehrennadel übergibt oder Erwin Gallwitz mit seiner vierzwanzig Meter hohen Sonnenblume fotografiert werden will – darüber muss ja auch berichtet werden.

Aber ich schweife ab, ich wollte bloß deutlich machen: Nur, weil man achtzig ist, muss man nicht zu Hause sitzen und darüber jammern, was man alles verpasst. Man kann sich seine Rücken-Einreibe auch auf dem Campingplatz aufschmieren!

Von Stefan kam dann nicht mehr viel Gegenwind. Der ist ja sehr direkt und sagt mir ins Gesicht, was er denkt. Er fackelt nicht lange und ist manchmal regelrecht harsch zu mir. Kein »Nun setz dich erst mal hin, Tante Renate, wie ist denn das Befinden?« oder so. Nee, bei Stefan heißt es direkt: »Tante Renate, du siehst zwar aus wie eine olle Schachtel, aber du hast es faustdick hinter den Ohren. Mit dir rede ich nicht um den heißen Brei, sondern Tacheles: Wenn du campen willst, dann fahr, aber mach keine Dämlichkeiten!«

Mhhh. Im Grunde genommen ist das ja auch ein Kompliment, wenn er nicht mit mir redet, als wäre ich schon ein bisschen weich in der Birne. Ich kann es nicht leiden, wenn mit mir gesprochen wird wie mit einem Vorschulkind, das noch nicht ganz trocken in der Hose ist.

Man muss die Zeitspanne im Leben nutzen, wo die Mitmenschen einen ernst nehmen. Erst, als Kind, ist man zu klein. Dann, als junge Erwachsene, heißt es: »Da brauchst du noch ein bisschen Lebenserfahrung.« Und wenn man die hat, ja, dann ist es auch wieder zu spät. Dann heißt es: »Das kriegt die Oma nicht mehr so richtig mit.« Die Phase, wo se einen ernst nehmen, die ist recht kurz. Lassen Se sich da nicht unterbuttern und machen Se den Mund auf! Ich sage immer: »Es geht nicht darum, wer etwas sagt und wie alt die Person ist, sondern WAS gesagt wird.« Danach sollte man das Urteil fällen. Ach, aber ich komme schon wieder ins Schwadronieren.

Als ich schlussendlich Kirsten informieren wollte, hörte die gar nicht richtig zu am Telefon, weil sie auf einen wichtigen Schamanenkongress fahren wollte und gerade mit dem Reinigen ihrer Schackren beschäftigt war. Ich empfahl Kernseife, was aber wohl nicht richtig war. Na ja.

Im Grunde wissen sie ja alle drei, dass ich keine bin, die sich einsperren lässt. Kirsten, Ariane und Stefan haben noch mal untereinander telefoniert über meinen Fall. Wissen Se, ich kam mir vor wie ein Kind, das ins Ferienlager fahren will und über das die Eltern nun beratschlagen: Darf die kleine Renate mit? Wer passt auf sie auf? Wer fährt noch alles mit?

Fehlte nur noch, dass sie mir Taschengeld zuteilten! Pah! Sie merkten schnell, dass sie mir nichts verbieten können, aber was für sie gar nicht infrage kam, war, dass Kurt uns fährt. Sie stellten noch eine ganze Reihe von Bedingungen:

Kein Zelt und kein wackeliger Campinghänger, nein, es sollte ein solides Wohnmobil sein.

Stefan würde uns zum Zeltplatz fahren, das Gefährt da abstellen und uns nach drei Wochen wieder abholen. In der Zwischenzeit durfte der Bus nicht bewegt werden. »Auch nicht nur mal ganz kurz, keinen Zentimeter!« So lautete die Regel.

Für den Fall, dass es brannte oder Hochwasser kam, wurde mir der Schlüssel anvertraut. Ich musste *schwören*, Kurt unter überhaupt gar keinen Umständen den Autoschlüssel zu geben.

Ich hatte mich täglich telefonisch oder per Whotzäpp zu melden. Wenn einer krank würde, wäre der Urlaub sofort beendet und Stefan käme, um uns zu holen.

Kirsten, Ariane und Stefan behielten sich vor, uns unangemeldet überraschend zu besuchen und die Einhaltung der aufgestellten Auflagen zu kontrollieren.

Puh, also wissen Se, das liest sich jetzt erst mal nach Bevormundung und als wäre es eine Frechheit. Wenn man es recht bedachte, war aber im Grunde an den zehn Geboten der jungen Leute nichts Schlimmes dran. Mir machte der Gedanke, Kurt würde so einen Wohnbus fahren, auch ein mulmiges Gefühl in der Magengegend. Der hatte ja schon in seinem kleinen Koyota nicht immer den Überblick. Das Verbot spielte mir also durchaus in die Karten. Na, und das mit dem Antelefonieren hätte ich sowieso gemacht, schließlich will ich doch wissen, was meine beiden kleinen Mäuse machen, die Lisbeth und die Agneta! Und gegen Besuch hatte ich nun wirklich nichts einzuwenden. Nun gut, Kirsten … aber das war noch gar nicht ausgemacht, dass die wirklich anreiste, so kurz vor dem großen Geistheiler-Tammtamm.

Ilse und Kurt hatten nicht lange zu fragen. Deren Tochter ist so gestrickt, dass sie die Eltern an der langen Leine lässt und ihnen keine Vorschriften macht. Die Sigrid ist Steuerberaterin und mahnte nur, dass Gläsers alle Belege aufheben sollen, weil man vielleicht was absetzen könne. Das ist ihre größte Freude, wenn sie was absetzen kann. Meist ist es jedoch sie, die sich absetzt; wissen Se, die Sigrid ist Weihnachten nur selten an der Tafel bei Ilse und Kurt. Die zieht es vor, über die Festtage vor Ilses Kartoffelsalat in warme Gefilde zu entfliehen. Sigrid lässt sich nur blicken, um in Gläsers Keller nach leckerem Eingeweckten zu stöbern oder ihre von Ilse gemangelte Wäsche abzuholen. An Geburtstagen oder hohen Feiertagen flötet sie ihre Grüße meist nur durchs Telefon und glänzt durch Abwesenheit an der Festtafel.

Na ja. Da bilde ich mir kein Urteil drüber. Der Spießrutenlauf durch die Anverwandtschaft war jedenfalls damit geschafft. Nun konnten wir uns endlich darum kümmern, ein anständiges Urlaubsgefährt für uns zu organisieren.

Wir sind also los zu so einem Wohnwagenverleiher, um uns mal umzuschauen, was es überhaupt so gibt. Wir haben ja alle drei keine Ahnung, auch wenn Kurt so tut. Da muss man sich doch ein Bild machen, wie diese Dinger von innen aussehen, wo die Betten sind, ob ein Tiefkühlfach vorhanden ist und wie viele Kochplatten der Herd hat. Na, und was da an Kosten auf uns zukommt. Wobei Letzteres erst mal hintangestellt wurde, wissen Se, da wir durch drei teilten, fiel das nicht so ins Gewicht. Ein Hotel kostet schließlich auch viel Geld, das muss man immer dagegenrechnen!

Früher waren Autoverkäufer ja immer so Lackaffen, die einen schicken Anzug trugen, viel zu viel Rasierwasser und meist ein Goldkettchen um den Hals. Die lachten auch immer überfallartig über ihre eigenen Witzchen. So jemanden hatte ich erwartet. Damals, als Walter und ich unseren kleinen Wagen gekauft haben, da war das jedenfalls so. Na ja, die Zeiten ändern sich, ebenso die Moden und auch der Frisurengeschmack von solchen Schnöseln. Zu Ursula, was meine Friseurin des Vertrauens ist, ging der jedenfalls nicht. Ursula schneidet seit ihrer Zeit als Lehrmädel allen Herren Rundschnitt, was anderes kann die gar nicht.

Der hier hatte aber einen Fassonschnitt, so mit an den Seiten wegrasiert, was seinen bulligen Hals betonte. Er erinnerte mich an die Sekuritis, die Se oft bei Konzerten stehen haben, wissen Se, die da Wache schieben. Er war noch ein Küken, wohl so Mitte zwanzig, und sehr von sich überzeugt.

»Wir würden uns diesen ... Bus ... gern mal ein bisschen genauer ansehen, junger Mann«, sprach Kurt ihn an.

Der jungsche Lackaffe blickte von seinem Händi hoch und riss die Augen so weit auf, dass man das Weiße sah.

»F...ffff...für Sie?«, brachte er ängstlich hervor.

»F...ffff...für wen denn wohl sonst?«, äffte Kurt ihn nach.

Ich hielt das nicht für klug, wissen Se, wenn der Geschorene sich querstellte, konnte der uns einen Strich durch die Rechnung machen und uns einfach den Bus nicht vermieten! Ich trat Kurt deshalb ein bisschen gegen das Schienbein, dass er sich mäßigte. Es war aber das Bein, was nicht mehr so gut durchblutet ist. Deshalb merkte Kurt nichts und wollte gerade dazu ansetzen, ihn zu beschimpfen. Ich kenne doch dieses Blitzen in den Augen von Kurt! Aber Ilse kennt ihn noch besser und beschwichtigte ihn. Das kann die nach über sechzig Jahren Ehe ja mit nur einem Blick, und so führte er uns erst mal drum rum um den Mobilbus und leierte die technischen Daten runter: Wie groß das Geschoss ist, wie schwer, wie viel man laden darf, was er auf hundert Kilometer nimmt und all so Zeug, was ich mir aber nicht gemerkt habe.

Wir guckten den Camperbus dann erst mal von innen an. Da ging es ja schon los mit den Problemen: Das

Gefährt hatte nämlich kein Geländer am Einstieg! Das geht doch nicht. Denkt denn da keiner mit? Immer und ständig heißt es, die Alten werden immer mehr. So direkt sagt das keiner, weil manche da pikiert reagieren, aber »demografischer Wandel« oder »älter werdende Gesellschaft« heißt doch im Grunde nichts anderes. Aber stellen sich die Leute darauf ein? Nee. Tun sie nicht! Die Gehwege werden nach wie vor so schmal gebaut, dass man sich mit dem Rollator verhakelt, wenn ein anderer mit einem Stützwägelchen von vorne kommt, im Wartehäuschen gibt es nur ganz wenige Sitzplätze, und wenn Se im Kaufhaus nach einem Kleid oder einer Bluse suchen, denken Se, Sie sind im Fachhandel für magersüchtige Dirnen. Keiner stellt sich auf uns Alte ein. Wir sollen gefälligst das kaufen und mit dem zurechtkommen, was sie für die Jungen bauen. Die machen uns das Leben schwer mit komplizierten Fahrkartenautomaten und Fernbedienungen mit viel zu kleinen Knöppen.

Und am Camperbus bauen se kein Geländer dran!

Das ist nicht nur rücksichtslos, sondern auch dämlich. Die vermasseln sich doch selbst ihr Geschäft, wenn sie sich nicht auf Ältere einstellen. Sind wir doch mal ehrlich, die meisten Leute, die mit so einem Gefährt in den Urlaub aufbrechen, sind an den Sechziger ran. Mindestens! Da geht das doch los mit Fettleber, Rücken oder der Doktor muss ran ans Knie, weil der Minikuss Zicken macht. Äh, Meniskus. Da gehört doch ein Geländer an den Einstieg!

Ja, in diesem Alter kommt alles zusammen: Die Leutchen haben Zeit, weil die Kinder aus dem Haus sind, und sie wollen weg, weil sie auch mal ein Wochenende NICHT auf die Enkel aufpassen wollen (tut mir leid, liebe Eltern, wenn ich Ihnen da die Wahrheit sagen muss). Noch dazu haben sie ein bisschen was auf der hohen Kante und merken so langsam, dass die Jahre, die da noch kommen, auch nicht mehr werden und dass es an der Zeit ist, sich mal was zu gönnen.

Wie oft hat man das schon gehört. Beim Horst Hucke zum Beispiel. Der hat sich mit Ende fünfzig die Rente durchrechnen lassen und alles abgewogen: was es an Abfindung gibt, wenn er früher zu Hause bleibt, was er an Abschlägen bei der Rente in Kauf nehmen muss, was der Doktor ihm gesagt hat zu seinen Leberwerten. Und dann hat er entschieden: Es geht in Rente. Mit dem Ersparten und der Abfindung hat er sich so einen Camperbus gekauft, bald größer als ein Postauto. Nur, dass das Geschoss eierschalfarben ist und nicht gelb. Hintendrauf hat er einen Aufkleber gedatscht, auf dem steht »Zu Hause ist da, wo wir parken«, und seitdem ist er mit seiner Ingrid von Frühjahr bis Herbst nur unterwegs. Die kommen nur alle paar Wochen mal nach Spandau, um die wichtigste Post (die der Nachbar holt und verwaltet) durchzugucken, um Behördengänge zu machen und sich neue Tabletten aufschreiben zu lassen. Ansonsten sind die nur unterwegs, von Dänemark bis Gardasee, und genießen ihr Leben. Sollen se! Wenn Se mich fragen, machen die es richtig. Mitnehmen kann man nichts, ein Sarg hat kein Regal. Das Einzige, was einem keiner nehmen kann, sind schöne Erinnerungen – und das auch nur, solange man noch klar im Kopp ist.

Um es kurz zu machen: Wir hatten dem Verkäufervermieterschnösel einen ordentlichen Schrecken eingejagt. Der Gedanke, dass Kurt mit seinem teuren Luxusbus über die Landstraßen rumpelt und vielleicht irgendwo aneckt, hatte ihm den Angstschweiß auf die Stirn getrieben. Dabei wollten wir selbst gar nicht, dass Kurt fährt. Das war doch längst schon mit Kirsten, Ariane und Stefan besprochen. Ariane nennt Kurt nur »Maulwurf-Kutte« oder verwendet noch hässlichere Begriffe. So manches Mal muss ich zu Respekt mahnen. Nur, weil er vierzehn Dioptrien hat, also wirklich! Das Mädel redet sogar auf mich ein, wieder ein paar Fahrstunden zu nehmen zur Auffrischung. Wissen Se, ich fahre zwar nicht mehr, seit ich fünfundsiebzig bin, aber ich habe den Führerschein nie zurückgegeben. Ich hab zwar allen erzählt, ich hätte den abgegeben, aber ich habe ihn in die Gewitterkassette mit den wichtigen Dokumenten gelegt. Eine Renate Bergmann lebt nach dem Motto »Man weiß ja nie«. Vorsicht ist die Porzellanmutter. Wer weiß, ob ich die Fahrerlaubnis nicht doch eines Tages noch brauche? Niemand weiß davon, nur Ariane. Ich war sehr unvorsichtig und habe es ihr verraten, als wir so vertraut beisammensaßen und sie mir den Täblätt eingestellt hat. Die ist ja vom Fach, müssen Se wissen, die hat das studiert mit Informatierung und so. Die kennt sich aus. Ach, ich war so zufrieden, dass die mir die Seite weggemacht hat mit den Nacktschen, die immer wieder kam. Ich habe mich ja so geschämt! Na, jedenfalls hatte ich uns einen Eierlikör geholt, weil Ariane auch gleich noch meine Freundesliste beim Fäßbock durchgucken wollte, und als wir die Urlaubsbilder von Patzwalds sahen, die mit dem Auto durch die Lüneburger Heide gereist waren, da kamen wir so ins Plaudern, und es ist mir rausgerutscht. Ich habe den Lappen sogar aus der Kassette geholt und ihr gezeigt. Ariane hat gestaunt, was ich früher für schönes kastanienbraunes Haar hatte. Gelacht hat sie nicht, nein, sie hat ganz ernst zu mir gesagt:

»Tante Renate, denk doch mal drüber nach, ob du nicht ein paar Auffrischungsstunden nehmen willst. Oder wir beide üben mal auf dem Parkplatz am Sonntag, wenn keiner da ist. Lange geht das mit Trottel-Kutte doch nicht mehr gut, der fährt euch im Blindflug gegen die Birke!«

Trottel-Kutte hat sie gesagt, sehr ungezogen!

Ich wollte entrüstet schimpfen, aber sie ignorierte mein Luftschnappen und fuhr unverdrossen fort:

»Und überhaupt, was ist, wenn du zu uns rausziehst ins Haus, was ja irgendwann mal so kommen wird? Mit einem kleinen Auto bist du unabhängig und kannst zur Gertrud, wann immer du willst.«

Wissen Se, mir geht das gar nicht aus dem Kopf. Das steht ja immer noch im Raum. Ich habe im Haus der jungen Leute eine kleine Einliegerwohnung, in die ich vielleicht eines Tages ziehe. Es wäre schon eine feine Sache, dann Auto fahren zu dürfen, aber andererseits ist der Verkehr auch immer hektischer geworden in den letzten Jahren. Wenn man nicht mindestens zehne drüber fährt, als erlaubt ist, kleben se einem doch sofort hinten auf der Stoßstange, machen Lichthupe und zeigen einen Vogel, die ollen Drängler. Ich erlebe das doch ständig, wenn ich bei Kurt und Ilse im Koyota mitfahre. Da bin ich froh, dass ich nicht am Steuer bin, und bewundere Kurt, wie er stoisch ruhig bleibt und die Nerven behält. Gut, er kriegt bestimmt auch nur die Hälfte mit, weil er ja gucken muss, dass die gestrichelte Linie immer schön mittig unter uns ist, aber trotzdem. Nee, also ich bin mir unschlüssig, ob das eine gute Idee ist, wieder selber zu fahren.

Jedenfalls war der geschorene Wohnwagenvermieter sehr erleichtert, als ich klarstellte, dass Kurt nicht selbst auf den Fahrersitz hinter das Steuer klettern würde. Wir wollten uns nur mal umschauen und was Hübsches aussuchen, was altengerecht war und unseren Vorstellungen entsprach. Stefan sagte, wir sollten ein Wohnmobil nehmen. So heißt das, wenn es kein Anhänger ist, sondern eine Art Bus, in dem man reisen und schlafen kann. Damit würde er uns hinfahren, Ariane käme mit den Mädchen in ihrem kleinen Wagen hinterher, sie würden noch beim Aufbau des Vorzeltes helfen und eine Tasse Kaffee trinken und mit Stefan wieder von dannen brummen, nachdem sie sich davon überzeugt hätten, dass wir gut und sicher untergekommen waren.

Wir beguckten die Wohnbusse, die der im Angebot hatte, und staunten nicht schlecht. Das waren regelrechte Paläste auf Rädern! Man kam nur nicht gut rein, aber Kurt versprach, dass er vor Abreise mit dem Akkuschrauber ein Geländer vor die Tür pinnen würde. Das wäre gar kein Problem. Der kurz geschorene Schnösel bekam noch mal einen Panikrückfall, aber Ilse zwinkerte ihm zu, als hätte Kurt einen Spaß gemacht. Als ob! Das würden wir alles wieder zurückbauen und die Löcher zugipsen, wie beim Auszug. Dann würde der Bengel gar nichts merken.

Wir entschieden uns für das Gefährt, das Stefan schon im Interweb als Empfehlung für uns rausgesucht hatte. Es war geräumig, hatte eine Küche mit zwei Kochplatten und Kühlschrank drin und auch eine Toilette. Mir war wichtig, dass man Platz zum Gehen hatte und nicht alles so eng und verbaut war. Auch die Tür war schön breit. Wissen Se, wir brauchen kein Schischi. In unserem Alter sind Gemütlichkeit und Sauberkeit wichtig und nicht, was modern ist. Und, dass es nicht wackelt und man sich gut festhalten kann. Was hat man von einem schicken Campingstuhl, bei dem die Sitzfläche reißt, wenn man sich plumpsen lässt? Oder der sich zusammenklappt, wenn man einen kleinen Schwung holt und versucht aufzustehen? Was hat man nicht schon alles erlebt! Gertrud geht freiwillig nicht mehr auf so ein Sitzmöbel, die ist eine gebrannte Mandel. Ein gebranntes Kind, meine ich. Sie war nämlich mit Kopf und Knien eingeklemmt in einem Gartenstuhl, bei dem der von Wind und Wetter morsch gewordene Stoff gerissen ist. Wir haben gezogen und gezerrt, aber sie saß so fest, dass Gunter Herbst die Eisensäge holen und Gertrud mit Brachialgewalt befreien musste.

Doch, da waren wir uns alle einig, und es gab keinen Streit: Solide sollte es sein; und auch, was das Geld anging, war das alles im Rahmen dessen, was man erwarten konnte. Trotzdem holte ich noch einen kleinen Nachlass für uns raus. Die Resopalplatte in der Küchenzeile war nämlich schon ganz schrammig. Das war nicht in Ordnung so, wissen Se, wie schnell setzen sich da Keime fest? Das bemängelte ich, und der Schnösel ging deswegen mit dem Preis noch mal um ein paar Mark runter. Pah! Da würden wir ein Stück Wachstuch aus der Restekiste drauflegen, das kostet nun wirklich kein Eckhaus, und die Hügijäne ist trotzdem tipptopp. Der Lackaffe rechnete alles aus und machte den Papierkram fertig.

Schade war nur, dass der Hochzeitstag der jungen Leute genau in den Urlaub fiel und ich nicht zu Hause sein würde. Na, das musste doch eigentlich gefeiert werden! Ich sprach Stefan gleich darauf an, aber denken Se sich nur: Der wusste nicht mal, dass das Jubiläum anstand. Hat man Worte? Diese jungen Leute, die hetzen hektisch durch ihr Leben und haben nich mal mehr einen Sinn dafür, sich solch wichtige Gedenktage zu merken! Na, das hätte sich einer meiner Männer mal erlauben sollen, den Hochzeitstag zu vergessen. Und noch dazu, wo Stefan und Ariane gerade frisch verheiratet waren. Also wirklich. Das ging doch nicht! Selbst wenn Ariane, das unromantische Ding, keinen Wert darauf legte, durfte der Junge diesen Festtag nicht einfach übergehen. Frauen sagen zwar manchmal, dass ihnen so was nicht wichtig ist, aber in Wahrheit warten sie doch auf eine romantische Geste. Und sind wir doch mal ehrlich, wie schnell schlägt die Stimmung auch um. Lassen Se nur die Hormone um zwei Müh auf der Skala nach oben oder unten rutschen – zack, haben Se einen handfesten Ehekrach! Nee, da musste Stefan sich was einfallen lassen, um die Ariane zu beeindrucken. Er war völlig verständnislos, als ich ihn darauf ansprach, und hatte so gar keine Vorstellung davon, womit man eine Frau zum Hochzeitstag überraschen könnte.

»Wenn du meinst, Tante Renate, dann fahre ich eben morgens schnell zur Tanke und hole einen Strauß. Da freut sie sich.«

Himmel herrje! Männer! In dem Punkt musste man Stefan wirklich ein bisschen unter die Fittiche nehmen und helfend eingreifen. Ich weiß noch, letzten Advent kam er freudestrahlend zu mir und zeigte mir stolz das Weihnachtsgeschenk, was er für Ariane gekauft hatte:

Anti-Falten-Creme.

AUS DER APOTHEKE.

Dem Himmel sei Dank ist er vorher damit zu mir gekommen. Ich habe ihn sofort zurück in den Laden geschickt. Er konnte es retournieren, und auch das Bügeleisen, das Stefan als Ersatz in der Kaufhalle besorgt hatte, nahmen sie wieder zurück. Die hübschen Ohrstecker, die ich ihm als Geschenk empfohlen habe, trägt Ariane hingegen gern und oft. Na, mal gut, dass ich mich der Sache angenommen hatte! Aber gelernt für die Zukunft hatte er offenbar nichts.

»Stefan. Junge! Du kannst doch einer Frau zum Hochzeitstag keinen Blumenstrauß für zehn Mark kaufen, womöglich noch mit Plaste drum? Denk doch mal nach!«, versuchte ich ihm auf die Sprünge zu helfen.

»Meinste, doch lieber Rosen? Aber die verblühen so schnell, noch dazu in der Hitze im Sommer.«

Der Groschen bewegte sich ganz sachte, aber er fiel noch nicht.

»Stefan. Nun denk doch mal daran, was Ariane freut, und nicht, was den Floristen glücklich macht.«

»Mmmh.«

Stefan hat früher so schön auf der Gitarre gespielt. Singen kann er nicht, das liegt bei den Winklers nicht in der Familie. Sogar Frau Schlode, die ihn schon mal in der Mangel hatte und ihn für den Männerchor hat vorsingen lassen, hat erschrocken abgewunken und ihn nie wieder behelligt. Leute, die ein Instrument spielen, mag die Schlode nicht. Die verstehen meist ein bisschen was von Musik und werden ihr zur Konkurrenz. Die lassen sich nicht rumkommandieren von ihr, und so was kann die Schlode nicht leiden. Aber Stefans Gitarrenspiel und dazu ein kleines Liedchen von Lisbeth und der kleinen Agneta (natürlich höchstens zwei Strophen!), ich bitte Sie, wenn das Arianes Ehefrauen- und Mutterherz nicht erweichte, dann war sie wohl eine verhärmte Maschine und keine fühlende Frau! Die mit ihrem Informatismus und Computergeklopfe.

Nee, der Hochzeitstag ist wichtig, der darf nicht einfach übergangen werden.

Da gibt es allerdings in der Tat Jubiläen am laufenden Band, Sie glauben es nicht! Silberhochzeit nach fünfundzwanzig Ehejahren kennt jeder, und auch die Goldene Hochzeit nach fünfzig gemeinsam ertragenen Jahren. Aber es gibt noch viel mehr! Ich kenne mich da ja nur bis zwölf Jahre Ehe aus, wissen Se, weiter habe ich es nie geschafft, dann hat es meine Angegrauten dahingerafft.

Moment!

Meine Angetrauten, muss es heißen.

Obwohl … wie auch immer.

Ilse hingegen weiß in solchen Dingen ja alles. Die führt eine Liste von allen Bekannten im Kiez und schickt denen *ständig* Karten zu Hochzeitsjubiläen, von denen die oft selber nichts wissen. Es gibt nämlich auch »krumme« Hochzeitstage, sozusagen. Die fallen nicht auf den Jahrestag der Eheschließung, sondern sind mitten im Jahr. 37,5 Jahre zum Beispiel sind Aluminiumhochzeit. Da fällt dann der Jubeltag nicht auf den 17. März, an dem Bockjägers damals vor den Altar marschiert sind, sondern auf den 17. September. Na, was meinen Se, wie Gabi Bockjäger geguckt hat, als Ilse geklingelt hat mit Nelkenstrauß und einer Schachtel Weinbrandbohnen unterm Arm! Die ahnten gar nichts von ihrem Jubelfest und waren auch nicht auf Besuch vorbereitet. Ilse sagte hinterher, Gabi musste erst mal die Bügelwäsche von der Küchenbank räumen, damit sie sich setzen und mit einem Likör auf den Festtag anstoßen konnten.

»Was rennst du da auch hin, Ilse«, schimpfte ich sie verständnislos, aber für Ilse ist das eine Sache der Höflichkeit. Sie würde abends nicht in den Schlaf kommen, wenn sie wüsste, dass die Nachbarn ein Jubiläum hatten und sie nicht gratuliert hat. Ilse ist eben noch eine vom alten Schlag.

Nee, meine Männer sind ja, wie ich schon gesagt habe, immer bald über die Wupper gegangen. Meine längste Ehe dauerte zwölf Jahre, das war ganz knapp vor Petersilienhochzeit. Die ist nämlich nach zwölfeinhalb Jahren, und Ilse hatte schon einen schönen Porzellankrug mit Petersilienmuster besorgt, aber dann ... das Herz. Wilhelm raffte es dahin, und wir stellten ihm den Krug als Blumenvase vor den Grabstein.

Wissen Se, ich habe auch keine Rosensträuße erwartet, aber dass die Herren an den Tag *dachten*, das wollte ja wohl schon sein! Dass man es gesagt kriegt, wie schön es ist, einander zu haben und den Weg bis hierhin gemeinsam gegangen zu sein, dass man sich mal sagt, dass der andere eine Bereicherung ist für das Leben, das kann man doch schon erwarten. Es muss ja nicht ausarten und albern werden, wissen Se, wenn Männer auf Knien rutschen und einem erzählen, man wäre die Rose auf ihrem Lebensweg, den zu gehen gemeinsam das größte Glück auf Erden wäre, und man wäre ihr leuchtendes Sternchen, ihr Lichtschein am dunklen Firmament, na, dann wissen Se Bescheid. Entweder hat der Kerl sie nicht mehr alle beisammen oder der hält sich ein Liebchen hinter Ihrem Rücken!

Wie mein Franz damals, als der am sechsten Hochzeitstag mit einem Rosengebinde vor mir kniete, das se sonst nur beim Staatsbesuch auf dem Friedhof niederlegen, und mir was vorfaselte, ich sei die Sonne in seinem Leben, sein Leuchtstern auf dunklen Wegen und so ein Schmus, na, da war ich im Bilde. Ich sei sein Zuckersternchen an salzigen Tagen. Der sechste Hochzeitstag ist Zuckerhochzeit, sagt Ilse, und ich bekam die Diagnose, dass ich ein kleines bisschen Diabetes habe. Der zuckrige Leuchtstern machte dem Herrn noch ein Weilchen die Wäsche, während der sich mit seinem Possiermädchen vergnügte, aber bald war Schluss. In dem Jahr kniete der das letzte Mal vor mir, noch vor dem nächsten Hochzeitstag warf ich ihm drei Handvoll Erde nach. Das verflixte siebte Jahr, ja, ja!

Ich hoffte inständig, dass Stefan noch zur Einsicht käme und sich etwas Besseres einfallen ließ als das Gestrüpp von der Tankstelle in Zellophan. Aber wissen Se: Der Junge ist alt genug, er muss wissen, was er tut! Man darf ihm da nicht reinreden, ein gut gemeinter Hinweis muss genügen. Er muss seine eigenen Erfahrungen machen.

Ich hatte auch genug zu tun, wissen Se, schließlich muss man seine Vorbereitungen treffen und sich Gedanken machen, was man einpackt und mitnimmt auf die Reise.

Man ist ja doch aufgeregt vor so einer Fahrt und bereitet sich so gut es geht vor. Schließlich will man keine teure Pleite erleben! Kurt sagte zwar, er wisse Bescheid, aber es ist nun auch gute vierzig Jahre her, dass der das letzte Mal zelten war. In so einer langen Zeit ändert sich viel, nicht nur die Bierpreise. Ich rescherschierte deshalb rum wie ein Detektiv. Heutzutage gibt es ja für alles Listen, im Interweb, beim ACDC und weiß der Henker wo noch überall. Schecklisten. Da steht alles drauf, und man muss nur ankreuzen oder abhaken und dann kann angeblich nichts schiefgehen, man hat alles dabei, was man braucht, und kann gar nichts vergessen.

Angeblich!

Pah, was wissen diese Listenschreiber schon davon, was olle Leute brauchen? Um es vorwegzunehmen: An alles denken diese Schecklisten-Menschen auch nicht, verlassen Se sich da bloß nicht drauf. Einen Duschhocker zum Beispiel suchen Se vergeblich, an den musste ich ganz allein denken, und auch von Schuhcreme stand nirgends etwas. Auch dass man die Medikamente einstecken muss, wurde nicht erwähnt. Aber ein paar Hinweise taugten schon was und leuchteten ein.

Dass man mit leerem Wassertank fährt, zum Beispiel. Wenn da bald hundertfünfzig Liter reingehen in so einen Tank, na, da rechnen Se mal! Das kostet nur unnütz Sprit. Das kommt fast darauf raus, als würden wir Frau Berber mitnehmen. Die ist ja ganz schön auseinandergegangen. Nee, das machte Sinn. Es war schwer, Ilse

klarzumachen, dass sie nicht sechzig Gläser Eingeweck-
tes in die kleine Küche einräumen durfte, aber sie sah
es ein und beschränkte sich auf Marmelade und Wellfleisch und Leberwurst für Kurt. Ja, man muss schließlich auch an die Umwelt denken!

In der Liste stand auch, man sollte den Abwassertank
unbedingt entleeren vor der Abfahrt, aber das verstand
sich ja von selbst. Man will sich das gar nicht vorstellen,
wenn es in der Kurve etwas stuckert, und dann hat man
alte Bekannte in der klitzekleinen Toilettenkabine liegen.
Da konnten Se schon sehen, dass die Liste für Leute gemacht war, die wirklich gar nicht überlegen.

Man empfahl aber auch, ausreichend Münzen parat
zu haben, da auf dem Platz meist mit Ein- oder Zwei-
euromünzen bezahlt wird. Oder fünfzig Zents. Na, das
war ein guter Hinweis! Ilse und ich sammelten also in
den Wochen vor der Abreise das … na, wie sagt man?
Kleingeld kann man das ja nicht nennen, ein Euro ist
viel Geld! Sagen wir Hartgeld. Ich gab ausnahmsweise an der Kasse mal nicht passend, sondern behielt die
Münzen ganz selbstsüchtig ein. Da fühlte ich mich nicht
wohl, wissen Se, es ist irgendwie rücksichtslos der Kassiererin gegenüber, wenn man nicht wenigstens guckt,
ob man es passgenau hat. Aber die jungen Dinger stört
das gar nicht, und die wollen auch keine Entschuldigung,
die wühlen nur schnell in ihren Geldschubladen und
flöten einem »Geeeeeht schoooon« entgegen. Bevor ich
von unserem Urlaub erzählen konnte, hatte ich schon
eine Handvoll Geld und einen halben Meter Bon in der
Hand. Na ja. Ich wechselte auch aus den Sparbüchsen
von Agneta und Lisbeth was ein, und so hatten wir ausreichend Münzgeld beisammen, um den Wassertank

aufzufüllen, in die Dusche was einzuwerfen und auch die Waschmaschine mal zu benutzen. Ja, eine Bluse kann man rasch in der Schüssel per Handwäsche mit Reis aus der Tube durchstuken, aber wenn wir drei Wochen blieben, müssten ja auch mal die Betten gewaschen werden!

Rei. Nicht Reis. Haben Se gemerkt, dass ich wieder geschludert habe beim Tippen?

Ja, es gab da noch ein paar Tipps und Hinweise mehr in der Scheckliste, zum Beispiel, dass man nicht in der Sonne parken soll. Aber das ist nun wirklich für Einfältige, dachte ich. So dumm kann doch keiner sein. Wie gesagt, dachte ich. Das war vorher, da kannte ich Familie Hupe noch nicht, aber zu denen komme ich später.

Da stand auch, man solle den Stromverbrauch im Blick haben, aber das ist ja wohl ebenfalls eine Selbstverständlichkeit. Als würde eine Renate Bergmann unnötig Licht machen! Ich lese zu Hause jeden Monatsletzten den Zählerstand ab und notiere das im Haushaltsbuch. Das ist so ein Hinweis für Leute, die auch im Urlaub rund um die Uhr vor der Flimmerkiste sitzen oder die den Dudelkasten ständig laufen haben. Nee, da ist unsere Generation sowieso sparsam. Ich knipse immer das Licht aus, wenn ich aus dem Zimmer gehe, und achte auch darauf, dass keine kleinen Kontrollbirnchen brennen. Da ziehe ich lieber den Stecker, das ist sowieso besser, schon falls mal Gewitter kommt.

Na, und dann muss man auch genau überlegen, was man an Bekleidung mitnimmt.

Ilse und ich hatten uns diese hübschen und bequemen gesteppten Westen geholt. Wissen Se, die umspielen die Hüften schön, und vor allem halten sie warm an den

Nieren. Wenn man abends draußen sitzt, wird es doch mal frisch, wenn die Sonne weg ist. Und wie schnell verkühlt man sich! Mit Blasenentzündung wollten wir auch nicht aus dem Urlaub kommen. Für Kurt hatte Ilse auch so eine Weste gekauft, ach, ich sage Ihnen, wir waren auf alle Eventualitäten vorbereitet und gut ausgerüstet. So ist man doch gut angezogen und kann auch mal in Gesellschaft sitzen.

Apropos: Was zieht man denn wohl an auf so einem Campingplatz?

Ja, lachen Se nicht, für Sie jungen Hüpfer ist das kein Problem. Mit Ihren Dschoggingbuxen sind Se ruck, zuck angezogen und machen sich keine Sorgen. Aber als älterer Mensch? Da steht Dezenz ganz oben auf der Liste. Ich bin noch so erzogen, dass ich mir Gedanken darüber mache, wie ich anderen Mitmenschen gegenübertrete. Mutter hat immer gesagt: »Wir sind keine reichen Leute, aber wir sind anständige Leute.« Ohne geputztes Schuhwerk und ohne dass die Frisur gerichtet ist, gehe ich nicht vor die Tür. Was man da an verhornten Hacken zu sehen kriegt, wenn die Sonne im Frühjahr das erste Mal hochkommt und alle in blanken Sandalen laufen! Nee, das ist kein schöner Anblick. Wer selbst mit dem Bimsstein nicht mehr an die Hacke kommt, ja, der soll eben zur Fußpflege gehen. Man kann doch den Mitmenschen solche Anblicke nicht zumuten!

Aber darüber machen sich die meisten Camper keine Sorgen, wie wir erfahren mussten. Für manchen bedeutete »wir fahren zum Camping« offenbar »wir müssen uns nicht mehr frisieren und können alles frei hängen lassen«. Also wirklich! Nur weil man im Urlaub ist, heißt das doch nicht, dass man sich der Verlotterung hingeben darf. Legere Freizeitkleidung, jawoll. Aber man geht doch nicht in Schlabberlumpen! Na, sollten se ruhig alle machen, für mich war das nichts. Ich packte leichte Röcke ein, wissen Se, ich habe ja viel in Beige. Da ist man immer gut mit angezogen und von den Farben her auch nicht so gebunden, was das Kombinieren anbetrifft. Und es kommt auch nie aus der Mode! Die werfen zwar jedes Jahr mit neuen Ausdrücken um sich, aber im Grunde sind das alles die gleichen Farben. Gerade sind Möwe und Taube ganz doll angesagt, also »Mooow« und »Toooob«. Man schreibt das »Mauve« und »Taupe« und verrenkt sich fast den Kiefer beim Aussprechen, damit es auch elegant und weltgewandt klingt, aber im Grunde sind beides nur andere Worte für »schlammfarben«. Die brauchen eben immer wieder neue, verrückte Ausdrücke, damit sie es teurer verkaufen können. Das ist wie mit dem Edeka, wenn er italienische Woche hat. Da hauen sie in die Fleischwurst ein paar Speckbrocken rein und nennen sie »Mortadella«, und dafür kostet sie das Dreifache.

Nun ja, es muss jeder wissen, ob er sich beschupsen lässt und den Quatsch mitmacht.

Für den Winter habe ich die Röcke in etwas festerer Qualität. Im Sommer hingegen bevorzuge ich leichte Stoffe, knitterfrei und bügelleicht, wissen Se, man hat ja auch noch einen Unterrock drunter, und zu sehr schwitzen will man auch nicht. Das war für den Urlaub das Ideale. Ilse und ich hatten also leichte Garderobe eingepackt, schöne dünne Blusen in bunten Farben. Da kann man ja mal ein bisschen mutiger sein und einen Farbtupfer setzen mit seinem Ensemble. Ganz ehrlich, im Urlaub auf dem Campingplatz mussten es nun auch nicht unbedingt die Blusen sein, die man eher zu Festtagen trägt. Meine

Freundin Gertrud hätte sich auf dem Zeltplatz pudelwohl gefühlt. Die legt auf Etikette keinen großen Wert, auch nicht auf ihren Ruf und wie die Leute über sie denken. Die geht im Sommer, wenn die große Hitze drückt, auch schon mal nur in Schlüpfer und Kittelschürze.

Nein, ich habe nicht vergessen, den Büstenhalter oder den Unterrock zu erwähnen. Wenn ich »nur Schlüpfer und Schürze« schreibe, können Se versichert sein, dass ich es auch so meine. Das ist nicht schön für die Leute, aber ihr ist es egal. Na ja. Sie hat auch ihre guten Seiten. Ich will nicht in Abrede stellen, dass sie trotz allem meine beste Freundin ist.

Ilse hat ja immer ein Auge drauf, dass Kurt gut gekleidet geht. Regelrecht schniecke macht sie ihn zurecht! Sie ist sehr stolz, wenn die anderen Damen dem Kurt nachgucken, weil er solchen Schneid hat. Aber zu sehr dürfen se nicht gucken, dann wird Ilse eifersüchtig, und es gibt Ärger, so wie damals auf der Wanderung, als Wilma Kuckert eine Fußverletzung vorgetäuscht hat, damit sie sich bei Kurt unterhaken kann. Ilse wurde fuchsteufelswild, und hätte ich nicht eingegriffen, hätte Ilse der Wilma einen Tee aus Fingerhutkraut gebrüht.

Für Kurt hat Ilse extra für den Urlaub Polohemden gekauft. Die sind für Herren bequem, es zwickt nicht im Hosenbund wie ein Hemd, das man reinquetscht, und am Kragen ist es auch nicht so eng. Nee, mit einem Polohemd ist ein Herr leger, hat es bequem und ist doch gut angezogen. Dazu kurze Hosen, das ist ja klar. Kurt geht im Sommer IMMER in kurzen Hosen, auch wenn er dünne Hühnerstängel hat. Er hat auch die Angewohnheit, sich die Hosen so hoch zu ziehen, dass der Gürtel nur knapp unter der Brust sitzt. Dann sieht er immer aus wie die Biene Maja im Melkeimer, und Ilse ist ganz aufgebracht. Sie zuppelt dann an ihm rum, als wäre Einschulung, und bindet ihm den Gürtel tiefer, sodass Kurt wieder vorzeigbar ist.

Männer! Die kann man, was Bekleidung angeht, wirklich nicht alleine machen lassen, da muss man als Frau ein Auge drauf haben. Ilse packte aber auch ein paar ältere Polohemden ein, wissen Se, auch wenn wir nicht vorhatten, uns nur aus Büchsen zu ernähren, würde es doch den einen oder anderen Tag mal Polonäse-Nudeln aus der Dose geben. Da will man sich nicht die besten Sachen beschmaddern. Das bleibt ja leider gar nicht aus, wenn es Nudeln gibt, da kann man sich noch so viel Mühe geben. Dieses Geschlabber! Ich bin da kein Freund von, aber manchmal muss es eben schnell gehen, und als Diabetiker darf ich ja auch nicht unterzuckern und muss was in den Magen kriegen, wenn die Mittagszeit ran ist. Da darf man nicht wählerisch sein.

Ja, zu Hause koche ich in der Regel jeden Tag. Bei mir gibt es Hausmannskost und auch immer einen Teller mehr, für den Fall, dass einer Appetit kriegt und vorbeikommt. Opa Krämer zum Beispiel, der im Block gerade rüber wohnt, der taucht manche Tage einfach so zum Essen auf, ohne Anmeldung. Das macht gar nichts, bei mir ist immer eine Kelle Suppe übrig. Eine Renate Bergmann kocht nie zu knapp! Gerade Eintopf schmeckt ja aufgewärmt noch viel besser, da schadet es überhaupt nicht, wenn was im Topf bleibt. Na, und wenn eben ein Esser mehr kommt, hat man immer was anzubieten. Opa Krämer wohnt bei den Kindern, die ihn liebevoll umsorgen. Aber er ist schon ein bisschen lala im Oberstübchen und fragt alle zehn Minuten, wann es wieder

Kartoffelpuffer gibt. Das wird der Tochter, der Gudrun, manchmal zu viel, und dann schickt sie ihn eben zu mir. Wir haben das nie abgesprochen, aber zwischen Frauen braucht es nicht viele Worte, wir verstehen uns auch so. Der olle Krämer hat auch keine Absichten, wenn Se verstehen, was ich meine ... der kommt nicht »aus Gründen«. Der weiß gar nicht mehr, was Absichten sind.

Wir essen zusammen, und es schmeckt ihm. Er hilft sogar beim Abtrocknen, und nach dem Mittagbrot bringe ich ihn wieder rüber zur Gudrun. Alleine schicke ich ihn nicht; wenn der sich verläuft, heißt es noch, ich habe ihn verbummelt! Nee, nee. Die paar Schritte mache ich gern. Die Gudrun kann derweil über Mittag auch mal einen Weg erledigen und dankt mir meist mit warmem Händedruck und nimmt mir dafür auch hin und wieder einen Gang ab. Wenn die Post mal wieder ein Päckchen irgendwo abgegeben hat und man stundenlang im Kiez auf Suche gehen muss, zum Beispiel. Das ist immer ein Drama, sage ich Ihnen! Ich kaufe meist im Geschäft, aber wenn ich wirklich mal was schicken lasse mit dem Kurier, dann gebe ich einen anderen Vornamen an. Nicht Renate. Für Renate klingelt kein Postbote! Da haben Se dann einen Schriebs im Briefkasten, dass Se nicht zu Hause waren, und dürfen aufs Hauptpostamt marschieren, um den halben Tag in der Schlange zu warten. Wenn Se aber Rebecca-Lauren Bergmann schreiben, na, ich sage Ihnen, da läutet der Zusteller aber Sturm und grinst einen erwartungsfroh an.

Liebe Zeit, wie bin ich denn bloß auf dieses Thema gekommen? Ach, es ging um das Essen! Nee, Nudeln aus der Büchse sind die Ausnahme auf meinem Speiseplan. Das macht nur Ärger! Bevor wir zum Rentnertreff gefahren sind, haben wir neulich erst so eine Dose aufmachen müssen bei Gläsers. Kurt hatte sich viel Mühe gegeben und die widerspenstigen Nudeln ganz vorsichtig auf die Gabel genommen, und trotzdem sprenkelte er sich das schöne Hemd mit Tomatensoße voll. Ach, so ein Ärger! Ilse hätte ihn aber auch wirklich das Gartenhemd anziehen lassen sollen beim Essen, wissen Se, da müsste sie als Ehefrau doch auch ein Auge drauf haben. Kurt ist da kein Vorwurf zu machen. Nach dem Mittagbrot sahen wir alle drei aus wie ein Trupp Hebammen nach einer Zwillingsgeburt, sage ich Ihnen. Kurt musste sich erst umziehen, und wir kamen zu spät, wir mussten am Tisch von Wilma Kuckert sitzen.

Endlich war es so weit. Ach, ich war so aufgeregt gewesen wegen der Anreise, aber das war gar kein großer Akt. Stefan fuhr das Wohnmobil, und Ariane kutschierte Ilse, Kurt und mich in ihrem kleinen Wagen.

»Wozu brauchst du denn drei Koffer, Tante Renate? Und die Reisetasche, soll die auch noch mit? Man kann doch waschen auf dem Campingplatz!«, belehrte mich Ariane.

Jaja. Typisch. Dieses Kindchen! Die rennt aber auch immer und zu allen Anlässen mit ihren Niethosen rum und mit einem schlabberigen Pulli, die guckt nie, dass sie angemessen gekleidet ist! Man muss doch auf alles vorbereitet sein. Es kann Regen geben, es kann abends kühl werden, man sitzt mal in Gesellschaft und muss »für gut« gekleidet sein … na, da kommen ruck, zuck ein paar Koffer zusammen! Ich schüttelte nur verständnislos den Kopf und ließ Ariane augenrollend einladen. Also, sie rollte, nicht ich. So was ist unhöflich und nicht meine Art.

Die jungen Leute fahren ja zügiger, aber trotzdem sicher, es ist viel weniger aufregend, als wenn Kurt hinterm Steuer sitzt. Ich nahm wie gewohnt hinten Platz, wissen Se, ich habe ein kleines Keilkissen, auf dem ich erhöht sitze und eine bessere Übersicht habe. Ein zusätzliches Augenpaar ist hilfreich, wenn Kurt fährt. »Ich hätte dir auch den Kindersitz von Lisbeth drinlassen können, Tante Renate, den habe ich nun extra ausgebaut«, sagte Ariane, und ich konnte nur hoffen, dass sie scherzte. Wissen Se, bei Ariane tat mein Keilkissen eigentlich nicht not, die fuhr flott, aber trotzdem so, dass ich mich immer in guten Händen fühlte. Ich fahre Bus in Berlin, da ist man eh abgehärtet. Wenn Se einmal im Feierabendverkehr im M29 waren, sind Se auch bereit für die Achterbahn mit Luping. Ilse, die wie üblich vorne saß, kam hingegen mit Arianes Fahrweise, die, zugegeben, im Vergleich zu Kurt ein bisschen sportlicher war, nicht so gut zurecht. Sie sagte nichts, aber sie hechelte schnell und flach. Sie atmete die Angstwellen tapfer weg. Meine Kirsten wäre stolz auf sie gewesen. Einen Fingernagel hat sie sich abgerissen beim Festkrallen in den Polstern vom Beifahrersitz, aber sie hatte natürlich Manikürebesteck dabei und feilte den Nagel am selben Abend noch in Form.

Kurt saß neben mir im Fond des Wagens. Für ihn war das eine ganz neue Erfahrung, die Bäume und Schilder rauschten so schnell an ihm vorbei, dass er nichts mitbekam. Er machte einfach die Augen zu und ratzte ein bisschen weg.

Wenn Kurt fährt, dann sachte, jawoll! Wir sind bisher immer sicher angekommen mit dem Koyota. Letzthin dachte ich, bei dem Schild »30« wäre die Eins vorneweg abgefallen, so schnell hat uns so ein Raudie überholt!

Nee, so eine Raserei muss doch nicht sein. Wenn jeder gemütlich und gesittet fährt, kommen alle zufrieden und entspannt an, und es gibt auch weniger Herzinfarkte. Aber da wird das Signalhorn gedrückt, mit der Lichthupe gedroht, und ein ganz unerzogener Vollgasflegel hat neulich sogar mit der Hand einen Scheibenwischer gemacht. Eine Frechheit! Sollen se doch froh sein, dass Kurt langsam macht und niemanden in Gefahr bringt. Er ist immerhin über sechzig Jahre unfallfrei unterwegs, das sollen die hektischen Raser erst mal nachmachen. Kleine Rempeleien beim Einparken zählen ja nicht als Unfall, und dass er der Frau Hechler über den Fuß gefahren ist, ist alleine ihre Schuld. Was hat die da auch rumzustehen? Nee, Kurt rast nicht. Wir sind alle gegen Rasen auf der Autobahn. Wer soll den schließlich auch mähen? Hihi, entschuldigen Se bitte den kleinen Spaß.

Wir waren nach nicht mal zwei Stunden schon am Ziel, denken Se sich das mal! Selbstverständlich hatte ich einen Picknickkorb für eine Rast vorbereitet, aber wir hielten nicht mal zum Pullern an, geschweige denn, um Stullen und Buletten zu essen und uns die Füße zu vertreten. Aber das würde schon nicht verkommen, das wäre gleich unser Abendbrot für den ersten Tag.

Vor dem Campingplatz war eine rot-weiße Schranke und ein groooßes Gesperrt-Schild. »Zufahrt nur für Berechtigte«, prangte in großen Buchstaben an einer Tafel. Darunter stand »Zufahrt nur nach vorheriger Anmeldung«, und noch weiter darunter »Zufahrt nur nach Aufforderung durch den Platzwart«. Huiui, da mussten aber eine Menge Umstände zusammenkommen, dass man hier drauffahren durfte! Kurt fragte Ariane, ob wir wohl auch richtig sind oder ob sie uns aus Versehen auf eine Militärbasis schoffiert hatte. Wir parkten den Wagen vor dem Zeltplatz und stiegen aus. Man war richtig eingeschüchtert von der strengen Beschilderung, deshalb guckten wir, ob eventuell Parkgesetze zu beachten waren. Es kostete nichts, man sollte aber eine Parkuhr einlegen und, wenn man länger als eine Stunde stehen blieb, einen Genehmigungsschein der Parkplatzaufsicht. Ariane tat wie befohlen, und wir machten uns auf Richtung Anmeldung, um den Schein zu beantragen. Stefan war noch nicht in Sicht, das war ja klar, dass der mit dem Wohnmobil etwas länger brauchte. Wir konnten aber schon mal ein bisschen gucken und uns erkundigen, wo wir denn unseren Bus abstellen konnten.

Ach, es schnupperte nach Kiefernnadeln, nach Sonnenmilch und Holzkohlengrill. Ich bekam gleich ein richtiges Urlaubsgefühl und hakte Ilse unter. Die war nach der Fahrt noch ein bisschen wackelig auf den Beinen, aber sie atmete tief durch und nickte: »Ja, Renate. Es riecht wie früher, wenn ich mit den Kindern im Ferienlager war! Herrliche Zeiten waren das …«

Ilse war, bis sie pensioniert wurde, Lehrerin gewesen, müssen Se wissen. Es heißt ja immer, Lehrer arbeiten nur vier Stunden am Tag und haben ständig Ferien, und es mag auch Vertreter dieser Zunft geben, auf die das zutrifft, aber Ilse ist so eine nicht. Die hat oft bis in die Nacht hinein Arbeiten korrigiert und ist auch in den Ferien immer als Aufsichtskraft mit den Blagen auf Reisen gegangen.

Wir gingen vorsichtig an der Schranke vorbei und betraten den Campingplatz, ohne dass jemand einen Schuss abgab. Na, immerhin. Rechter Hand sahen wir gleich den Sanitärtrakt. Das war früher offenbar ein

Forsthaus gewesen. Es war mit alten Eichenbrettern verkleidet, die moderig vor sich hin rotteten. Es sah aber recht hübsch aus, ein bisschen wie im Heimatfilm, und wissen Se, andernorts hängen se überall Insektenhotels auf und siedeln das krabbelnde Getier mit viel Mühe wieder an – da wäre es doch ein Frevel, hier die Dielen von der Wand zu ruppen!

Wir wandten uns dem Anmeldebüro zu. Es war eine Art große Gartenlaube aus dunklem Holz. An den Fenstern hingen Gardinen, die ganz offensichtlich in ihrem Leben noch nie eine Waschmaschine von innen gesehen hatten, und draußen dran war ein Aushangkasten. Dort war die Zeltplatzordnung angepinnt, die wir sogleich studierten. Ilse las laut vor. Ich bat sie darum, wissen Se, ich hätte sonst erst die Lesebrille suchen müssen.

Platzordnung

Werte Gäste!

Die offizielle Platzordnung ist acht Seiten lang. Erfahrungsgemäß liest sich die kein Mensch durch. Deshalb hier für Sie kurz, knapp und in klaren Worten das Wichtigste zusammengefasst. Halten Sie sich dran, dann steht einem erholsamen Urlaub nichts im Wege:

1. Zutritt nur nach Anmeldung. Fremde haben auf dem Zeltplatz nichts zu suchen. Besuch ist anzuzeigen und vorzustellen.

2. Sämtlichen Anweisungen des Platzwartes ist widerspruchslos Folge zu leisten.

3. Ab 22 Uhr herrscht Ruhe! Und zwar Punkt 22 Uhr, nicht »kurz nach« oder »noch ein bisschen« oder »gleich, nur noch austrinken«!

4. Von 13 bis 15 Uhr ist Mittagsruhe. Radiogedudel und laute Gespräche sind zu unterbinden. »Mein Mann hört aber schlecht« ist keine Entschuldigung!

5. Es wird nicht über das Geharkte gelatscht!

6. Stellplatzgrenzen sind unbedingt einzuhalten. Kein Zelt oder Campingwagen darf auf dem Stellplatz des Nachbarn ragen, auch nicht ein kleines Stückchen.

7. Kinder sind zu beaufsichtigen und haben sich anständig zu benehmen. Kinder unter sechs Jahren dürfen die sanitären Anlagen nur in Begleitung benutzen, sonst will das wieder keiner gewesen sein mit der Schweinerei, und ich muss es wegmachen.

8. Es wird nicht gesungen!

9. Die Mülleimer sind zwingend zu benutzen, das gilt auch für Kaugummi und Zigarettenkippen.

10. Offenes Feuer ist verboten, Lagerfeuer wird unter feuerpolizeilicher Aufsicht jeden Sonnabend am Strand vom Platzwart entzündet. Beim Grillen ist besondere Vorsicht geboten.

11. ~~Raudies~~ Jugendliche unter 30 Jahren zahlen eine erhöhte Kaution von 100 €, die bei Verstößen gegen das Lärmverbot einbehalten wird.

12. Anreise ab 15 Uhr, Abreise bis spätestens 10 Uhr.

13. Die Duschen und Toiletten sind sauber zu halten. Der Platzwart behält sich Kontrollen vor.

14. Hunde sind angeleint zu halten. »Der tut nichts« ist kein Argument!

15. Es ist verboten, Bäume zu fällen, selbst wenn sie die Sicht stören.

16. Jeglicher Verstoß gegen die Platzordnung hat sofortigen Platzverweis zur Folge.

gez. Günter Habicht, Platzwart

Wir nahmen gleich Haltung an, nachdem wir das studiert hatten.

Ein etwas unkultiviert aussehender Herr kam uns streng guckend entgegen. Er trug ein hellgraues Turnhemd, das über dem Bauch spannte und das unschöne Schwitzflecken auf der Brust aufwies. Als Kinder haben meine Freundin Gertrud und ich manchmal auf der Wiese gelegen, den Wolken nachgeguckt und uns überlegt, was für Figuren wir wohl sahen. In den Schwitzflecken dieses Kerls erkannte ich eine Fledermaus mit gespreizten Flügeln. Das behielt ich aber für mich und sagte es nicht laut. Mein Blick wanderte weiter runter über eine schlabberige Hose zu Badelatschen, in denen der Herr verhornte Hacken und lange nicht geschnittene Fußnägel präsentierte. Kurzum: Er war nicht das, was man sich als Schwiegersohn erträumt, wenn man noch eine Tochter zu verehelichen hat. Mit Ende sechzig, auf die ich ihn schätzte, war er für meine Kirsten auch einen Ticken zu alt.

Ein rundherum unangenehmer Zeitgenosse war das. Es gibt doch so Leute, die von Grund auf unsympathisch sind und die so gar nichts Nettes an sich haben. Wenn man die das erste Mal trifft, weiß man gleich, dass das Probleme geben wird. Aber da bin ich ja so gestrickt, dass ich mir sage: »Renate, wir sind nur drei Wochen hier, und die sollen schön werden. Das ist schließlich unser Urlaub. Wenn man sich mit dem Herrn gut stellt, fährt man besser. Ich werde ihn nicht ändern oder umerziehen, es kostet mich nur Kraft, Zeit und Nerven. Der fühlt sich gut, wenn man ihn ernst nimmt, aber wir lassen ihn plappern und haben alle eine angenehme Zeit.«

Auf dem Kopf hatte er einen wirklich komischen Hut. Wie eine Schiebermütze nur für junge Leute, wissen Se? Vorne ein Schirm dran, leuchtend gelb und mit Beschriftung. Bei ihm stand: »Mich gibt's nicht bei Tinder, mich gibt's nur hier«. Er nahm die Mütze ab, um sich Schweiß von der Stirn hoch ins Haar zu wischen. Er hatte gar keine richtige Frisur. Irgendwie schienen die Haare gekürzt worden zu sein, jawoll, aber das war kein Schnitt, das war bestenfalls eine Maßnahme gegen Verlausung!

»Habicht«, sprach der Herr und streckte erst Ilse und dann mir die weiche, feuchte Hand entgegen, in der sich der Stirnschweiß sammelte, »ich bin hier der Platzwart.« Ich war froh, dass ich als Zweite dran war mit dem Händeschütteln, so hatte Ilse nämlich schon die größte Portion abgefangen. Er hatte gesehen, wie wir uns für das Waschhaus interessierten, und nahm das Gespräch gleich auf: »Drinnen ist alles top saniert. Vom Feinsten und modern, bei uns steht Sauberkeit ganz oben. Lassen Sie sich mal von den Brettern draußen nicht abschrecken. Keiner traut sich, die Verkleidung abzupolken. Dahinter schwirren Käfer, die schon längst als ausgestorben gelten, höhöhö!«

Ilse schob die Brille auf die Nasenspitze und stellte so ihren Fokus scharf. Sie kniff die Augen kurz zusammen, als wollte sie ganz sichergehen, dass sie sich nicht täuschte.

»Habicht?«, fragte sie mit prüfendem Blick. »Günter Habicht aus der 5 a? Berlin-Karlshorst?«, stellte sie eher fest, als dass sie fragte.

Der Habicht nickte verwirrt, aber noch bevor er antworten konnte, belehrte Ilse ihn bereits.

»Wie lauten die Präpositionen, die sowohl den Dativ als auch den Akkusativ verlangen können, je nachdem, ob man fragt ›wo‹ oder ›wohin‹? Na?«

Der Habicht begann zu stottern, und bevor Sie jetzt auch stottern, weil man ja heute nicht mehr »Dativ« und »Präpositionen« sagt, helfe ich ein bisschen: Ilse meinte den Wem-Fall und die Vorwörter.

»An, auf, ab …«

»An, auf, hinter, neben, in, über, unter, vor und zwischen!«, parierte Ilse und ließ ihn wie einen Schuljungen dastehen. »Ich bin doch beim Lesen der Zeltplatzordnung schon stutzig geworden, Günter. ›Kein Zelt oder Campingwagen darf auf dem Stellplatz des Nachbarn ragen‹, schreiben Sie da. Die Präposition in diesem Satz lautet wie?«

»… auf?«

»Richtig. Und *wohin* dürfen weder Zelt noch Campingwagen ragen?«

»Auf den Stellplatz des Nachbarn.«

»Sehen Sie. Und wieso steht da ›dem‹? Das bringen Sie umgehend in Ordnung!«

Mir blieb fast der Mund offen stehen. Der Scheff hier vons Janze war früher ein Schüler von Ilse gewesen, und auch wenn Ilse nur Vertretung gegeben hat, nahm der noch heute die Hand an die Hosennaht.

Eine ganz Strenge ist meine Ilse gewesen, ich wusste das immer schon, nicht erst, seit sie bei dem Günter Habicht hier Maß nahm. So mancher Schüler hat sich über sie beklagt. Wenn Ilse merkte, dass einer dem Unterricht nicht folgte und einfach in den Tag hinein träumte, hat sie ihn aufgerufen und zur Tafel beordert. Da musste er was schriftlich dividieren – also »durch« rechnen – oder schwierige Worte anschreiben, je nachdem, wo der Pennäler seine Schwächen hatte. Ilse kannte doch ihre Pappenheimer! Dem Großen von Gauklers hat sie in Erdkunde auf den Zahn gefühlt, da war der sehr schwach auf der Brust. Sie hat ihn Mittelgebirge und Nebenflüsse der Elbe zeigen lassen, bis er es aus dem Effeff konnte. Als die Prüfung dran war, hat der Gaukler seinen Abschluss geschafft, und Ilse war sehr stolz.

Nee, sie war eine gute Lehrerin, streng, aber gut. Aus ihren Schützlingen ist immer was geworden, das sind bis heute alles vernünftige Menschen. Sogar Ariane nickte anerkennend. »Was sind schon Ocean's Eleven gegen Ilses Eleven«, sagte sie, aber ich habe nicht verstanden, was daran lustig war und warum der Habicht lachte. Als Ilse ihren Achtzigsten hatte, denken Se nur, da kam eine Abordnung ehemaliger Schüler und überbrachte Glückwünsche von über hundertfünfzig früheren Schülern! Sie hatten ein dickes Fotoalbum gemacht, zu dem jeder eine Aufnahme von früher und von heute beigesteuert und Ilse einen kleinen Glückwunsch geschrieben hatte und was er heute so machte. Ilse hat wochenlang darin geblättert und die Rechtschreibung korrigiert. Ganz gerührt war sie.

Ilse stellte uns jetzt vor. »Das ist mein Mann, der Herr Gläser, und Frau Bergmann, die uns begleitet. Die Frau Winkler hat uns hergefahren, ihr Mann folgt gleich mit dem Wohnmobil und …«

Da kam Stefan auch schon mit dem Schlafbus angetuckelt. Er fuhr sehr vorsichtig. Das wollte ich ihm aber auch geraten haben, wissen Se, er hatte ja nicht nur unsere Koffer mit den Anziehsachen geladen, sondern auch Geschirr und Vorräte.

Der Habicht wies uns unseren Stellplatz zu. Man konnte nicht meckern, einen schönen Platz hatte er für uns vorgesehen. Ruhig, nach hinten raus zum Wald und nicht weit zum See. Ein Kiosk und sein Aufseherbüro waren in Sichtweite, und auch die Sanitäranlagen waren kaum zweihundert Meter weg. Im Grunde war es einfach ein Platz, auf dem hier und da ein paar Campinghänger, Wohnmobile und Zelte standen. Das war übersichtlich, gemütlich und nicht so groß, dass man es hätte in Straßen und Wege unterteilen müssen, aber sie hatten es trotzdem getan. Amselweg, Starweg und Drosselweg hießen die einzelnen Abschnitte, und uns hatten sie in den Drosselweg gelegt. Ob die Kornflaschen im Koffer etwa doch geklappert hatten? Hihi!

Stefan rangierte den Wohnbus unter Aufsicht vom Platzwart in die richtige Position. Das war ganz gut, dass der Habicht ein Auge darauf hatte. Es wäre ja keinem geholfen, wenn hinterher das Gemecker losgegangen wäre, wenn Stefan weg war. Die machten da eine Wissenschaft draus, große Güte! Das Gefährt musste nicht nur in den Grenzen des Stellplatzes richtig stehen und durfte über keinen Kreidestrich drüberragen, nein, er musste auch in der Waage stehen. Das hatte ich vorher nicht bedacht, aber es leuchtete ein. Denken Se nur, Sie braten ein Spiegelei, und das Dotter läuft Ihnen nach links, weil der Bus schief auf halb neune hängt. Man schläft ja auch nicht gut, wenn einem das Blut in den

Kopp schießt, weil man schief steht. Das musste also sein. Man muss so viel bedenken, auch, dass man nicht auf unebenem Gelände stehen darf oder gar in einer Senke. Da hat man dann bei Regen das Problem, dass man in der Pfütze wohnt. Im Wohnmobil mag das noch angehen, aber denken Se mal an die Zelter! Wir hatten ja auch ein Vorzelt, und als Boden verlegten die Männer Holzplatten mit »Klick«. Da konnte man auch mit dem Besen mal drübergehen und hatte es reine, wissen Se, wenn man ständig Sand vom Strand reinschleppt, ist das doch nichts.

Schön ran an den Wald war gut, so hatten wir Schatten, aber direkt unter die Bäume darf man sich auch nicht stellen. Schließlich verlieren nicht nur die Bäume Blätter, Kienäpfel oder Harz, sondern auch die Vögel, die drin sitzen, verlieren was. Die Schweinerei kriegen Se gar nicht wieder ab. Sie rangierten da eine Ewigkeit rum, bis alle zufrieden waren und ich einen Kaffee aus der Thermoskanne einschenken durfte. So kamen wir doch noch zu unserem Picknick. Bei Klappstullen und Gürkchen wurde kräftig zugegriffen!

Die Männer machten sich alsdann daran, den Einstiegstritt und das Geländer so zu montieren, dass Kurt nicht in den gemieteten Bus bohrte und es am Ende bei der Rückgabe noch Probleme mit dem Pfand gab. Sie montierten auch das Vorzelt, bauten den Gaskocher auf und hängten meine Geranientöpfe an. Ilse und ich konnten da nicht groß helfen, alle schimpften ständig nur, dass wir vor den Füßen ständen. Einmal rief Stefan nach Heringen, und ich wusste nicht, ob die in Sahne oder in Tomate, wir hatten ja natürlich beides dabei. War aber alles irgendwie nicht richtig. Wir sind den Männern dann aus dem Weg gegangen und haben nach herausstehenden Wurzeln im Erdreich Ausschau gehalten, die für uns alte Leute eine böse Stolperfalle gewesen wären.

Nachdem unser Wohnmobil sicher und gerade stand, wir beim Zeltplatz-Standesamt registriert und gemeldet waren und die Kinder noch eine Stulle aus meinem Picknickkorb gegessen hatten (ich lasse keinen hungrig weg!), verabschiedeten sich Stefan und Ariane und düsten zurück nach Berlin. Schöne Urlaubstage und gute Erholung wünschten sie noch, und Ariane mahnte, ich solle nichts anstellen.

Pah! Freches Ding! Als ob ich je was angestellt hätte.

Stefan ließ mir den Autoschlüssel da, für den Fall der Fälle, dass umgeparkt werden musste, und erinnerte mich an mein Versprechen, Kurt unter gar keinen Umständen ans Steuer zu lassen. Das hatte er von Kirsten als Rat mit auf den Weg gekriegt, dass er mir den Schwur auf Wilhelms Grab abnehmen soll, warum auch immer. Das gelobte ich gern, wissen Se, Wilhelm ist so lange tot, der kann mir nichts mehr. Höchstens, dass die Fuchsien auf seinem Grab wieder Mehltau kriegen … aber ich hatte auch gar nicht vor, Kurt fahren zu lassen. Ich habe vielleicht nicht mehr viel Leben vor mir, aber das bisschen ist mir doch lieb und teuer. Es ist am Rande bemerkt aber auch komisch, dass Kirsten in solchen Fällen ihren Vater wieder für sich entdeckt. Sonst schert sie sich einen Kehricht darum, wie ich mit der Grabpflege zurechtkomme. Die könnte ihre Besuche in Berlin auch mal so legen, dass sie im Frühjahr zur Pflanzzeit kommt, aber nee. Immer nur, wenn irgendein Guru Vorträge übers Wassertreten hält.

Ilse, Kurt und ich, wir schliefen zu dritt in dem Wohnbus. Wissen Se, wir kennen uns seit über sechzig Jahren, da hat man sich nicht dumm. Und wenn wir mal ins Heim kommen, wird es auch mindestens ein Dreibettzimmer, da muss man sich gar nichts vormachen und gewöhnt sich besser schon mal dran. Kurt schnarchte ein bisschen, aber das war ich von meinen Männern gewohnt. Dass Ilse als Frau allerdings auch fürchterlich laut Bäume sägte des Nachts, darüber wunderte ich mich. Vor allem, dass Ilse es abstritt! Kurt sagt ihr seit über dreißig Jahren, dass sie schnarcht, aber Ilse sträubt sich so entschieden gegen diese Wahrheit, dass Kurt müde geworden ist zu streiten. Dabei ist es wirklich kaum auszuhalten. Ilse ist so eine, die, sobald ihr Körper eine weiche Decke berührt, schockartig innerhalb von zehn Sekunden in einen tiefen Schlaf fällt. Sobald sie eingenickt ist, merkt man das daran, dass ihr Zäpfchen im Hals wackelt und sie einen Lärm macht wie drei Waldarbeiter mit Kettensägen, die einen dicken Buchenstamm zerlegen. Aber sie stellt es immer in Abrede. Wissen Se, das ist die Lehrerin in ihr. Sie führt ein strenges Regiment. Kurt hat sich zu fügen und keine Mucken zu machen, da isse ganz hart zu ihm. Diskussionen duldet sie nicht, sondern unterbindet sie sofort. Wenn Kurt zur Chorprobe geht, muss er die Fingernägel vorzeigen, und Ilse kontrolliert, ob er ein sauberes Taschentuch eingesteckt hat. Im Grunde hat sie ja recht, wenn er da mit einer verschnodderten Fahne zum Singen geht, fällt das ja auf sie als Ehefrau zurück!

Nur muss man den Mann das nicht so direkt spüren lassen, dass er an der kurzen Leine geführt wird. Ich habe das immer geschickter gemacht und meinen Männern das Gefühl gelassen, dass sie selbst darauf geachtet haben. Wenn ich zum Beispiel sagte: »Hast du wohl mal einen Hustenbonbon für mich, Wilhelm?«, wühlte der in der Tasche, und als gut erzogener Ehemann merkte er dann von allein, dass er noch ein frisches Taschentuch aus der Kommode holen musste. Wissen Se, das ist wie beim Dressurreiten: Der gute Dompteur dirigiert durch kleine Kniffe und Tricks, die Außenstehende nicht sehen. Aber durch den jahrzehntelangen Umgang mit pubertierenden Knaben ist Ilse einfach darauf geschult, mit deutlichen Worten zu führen. Das Florett ist ihr fremd. Und so hat sich Kurt gefügt, sagt nicht viel und denkt sich oft seinen Teil. Wenn sie Stein und Bein behauptet, nicht zu schnarchen – was soll er da machen?

Nee, wir drei hatten kein Problem damit, den Wohnwagen zu teilen. Gläsers schliefen auf der ausklappbaren Doppelschlafstelle, die tagsüber eine Sitzecke war. Wir hätten das Bett im Grunde ausgeklappt lassen können, denn wir waren den ganzen Urlaub über des Tags nur einmal im Wohnwagen, als es so dolle regnete. Sonst spielte sich das Leben draußen im Vorzelt ab. Mein Nachtlager war eine ausklappbare Koje vorne im Wohnbereich. Wir kamen uns überhaupt nicht in die Quere.

Einmal habe ich mich sehr erschrocken, als ich vom Austreten zurückkam. Zum Wasserlassen musste man eigentlich rüber zum Waschhaus, da waren auch die Örtlichkeiten. Wir sind ja hier unter uns, deshalb verrate ich es Ihnen im Vertrauen: Wir hatten hinter dem Wohnmobil einen Pullereimer stehen, auf den man, wenn man nachts mal rausmusste, also … Sie wissen schon. Wir sind schließlich noch mit Kerzen, Nachttopf und Petroleumlampen groß geworden und kennen das. Ja, im Dustern bis rüber zum Sanitärhaus ist für olle

62

Leute nichts. Ich sage das ganz offen, im Dunkeln habe ich Angst. Noch dazu direkt am Wald, wo der Uhu rief und ringsum lauter fremde Leute in ihren Zelten, Bungalows und Wohnwagen waren? Für Kurt war das mit dem Rausmüssen kein großes Thema, wissen Se, der reguliert das einfach über seine Wassertabletten. Der hat die morgens eingenommen statt abends und hatte über Nacht Ruhe, aber die Blasen von Ilse und mir sind da nicht so einfach zu bestechen.

Die Leute fragen mich auch oft: »Frau Bergmann, warum stehen Sie als Rentnerin denn immer so früh auf? Sie können doch ausschlafen!« Das entscheide ich nicht alleine, wissen Se. Da entscheidet meine Blase mit. Und wenn die um halb sechs sagt: »Raus, Renate!«, na, wer bin ich, dass ich da widersprechen würde? Das ist eben so im Alter. Man muss es annehmen und damit leben. Im Grunde muss man ja dankbar sein, *dass* die Blase einem Bescheid gibt. Sind wir mal froh, dass wir es noch merken, wenn wir müssen!

Ilse und ich haben jedenfalls erst überlegt, ob wir uns gegenseitig wecken, uns unterhaken und gemeinsam rübergehen, wenn eine von uns muss. Frauen gehen doch meist zusammen zur Toilette, die jüngeren genauso wie wir Omas. Aber wir mussten dummerweise zu unterschiedlichen Zeiten. Ilse hatte meist so gegen einse rum einen Druck, da konnten Se die Uhr nach stellen. Ich wurde oft wach, kurz bevor Ilse aus dem Wagen kletterte und es schwankte, weil sie da nämlich aufhörte zu schnarchen und die Ruhe mich regelrecht aufschrecken ließ. Ich hingegen musste zwischen drei und halb vier raus, und wenn wir beide zweimal die Nacht hätten aufstehen und uns gegenseitig zum Wasserlassen begleiten sollen, nee, das wäre doch zu viel des Guten gewesen. Das wäre keine Wink-wink-Situation mehr gewesen. Auf der Behelfskoje schlief man sowieso nicht sehr bequem, dazu Ilses Geschnarche – wenn man dann noch zweimal auf Wanderung zum Waschhaus gegangen wäre, also, ich wäre den ganzen Urlaub ja wie gerädert gewesen. Jedes Mal erst Zähne rein und Morgenmantel an – ich bitte Sie. Nee, deshalb hatten wir uns für den Pullereimer hinterm Wagen entschieden. Der Eimer wurde morgens im Waschhaus ausgeleert und gespült, das war keine große Sache. Kein Vergleich zu dem Geschmadder, was Vater Hupe, unser Stellplatznachbar, da mit den Hinterlassenschaften seiner Gattin zu bewerkstelligen hatte.

Eines Nachts, als ich raus war zum Austreten, habe ich mich wie gesagt sehr erschrocken! Wissen Se, im Grunde war man ja nach ein paar Tagen eingespielt und wusste, wo alles stand und wie man sich auch im Dustern zu bewegen hatte. Da gewöhnt man sich recht schnell dran. Zu Hause ist die Nachttischlampe rechts, da gehe ich, auch ohne das große Licht anzuknipsen, zur Toilette. Im Schlaf sozusagen. Hier im Schlafwagen hatte ich eine Taschenlampe, mit der ich mir den Weg leuchtete. Da kam ich recht gut zurecht, genau wie Ilse auch. Der Wagen wackelte ein bisschen, wenn einer von uns rausmachte, aber das ließ sich nicht vermeiden. Wir haben ja alle drei einen sehr leichten Schlaf. Das gab beim Frühstück immer eine Auswertung, wer wann raus war, wer es gehört hat und wer bei den Nachbarn noch was beobachtet hat. Die Frau Hupe hatte eine ähnlich laute Schnarchstimme wie Ilse. Die beiden übertönten mit ihrem Duett sogar die Nachtigall, die bei Sonnenaufgang lieblich sang, wenn der Morgen erwachte. Die Ilse und Frau Hupe zersägten das schöne Gezwitscher.

Na ja, wo war ich? Ach ja. Es war Vollmond in der Nacht, die große weiße Scheibe stand fast zum Greifen nah am Himmel und hüllte alles in ein kaltes Licht. Der Zeltplatz lag in Schwarz-Weiß vor mir. Es sah alles irgendwie aus wie das Röntgenbild von meiner Hüfte. Man hätte fast ohne Taschenlampe rausgehen können, aber ich habe trotzdem nach ihr gegriffen. Wissen Se, wäre ich die Treppe runtergesaust und hätte mir was getan, das hätte nur wieder Vorwürfe gegeben von Kirsten und Stefan. Ich komme also wieder zurück vom Austreten hinter dem Wagen, da fiel der Schein meiner Taschenlampe auf unsere Zähne. Da ging mir aber ein Schauer über den Rücken, und ich hätte fast laut »Huch!« gerufen und die anderen aufgeweckt!

Sie müssen wissen, Ilse, Kurt und ich taten unsere Zähne abends alle in ein Glas. Also, nicht in *ein* Glas. Gläsers teilten sich ein Glas, weil sie sagen, eine Tablette Frischesprudel reicht für zwei. Sollen Se, aber mir ist das zu viel Nähe. Gute Freundschaft hin oder her. Wir teilten nun schon den Schlafraum und den Pullereimer – die Zähne zu denen von Ilse und Kurt ins Glas zu legen, wäre mir doch zu intim gewesen. Es ist ja im Grunde wie Küssen, wenn man die Zähne zusammen … ich will das Thema gar nicht weiter ausführen. Jedenfalls machte ich gerade die Wagentür auf und holte Schwung mit der Hüfte, um den ersten Schritt auf unser kleines Treppchen zu schaffen, da fiel der Mondschein und dazu noch der Strahl meiner Taschenlampe so von unten auf unsere Gebisse in den Gläsern im Regal … ich sage Ihnen, das sah gruselig aus! Gertrud stellt ihre beim Hällowien, bei diesem Gruselfasching, ja immer ins Fenster. Darum baut sie ein paar Teelichte. »Das kostet nichts, und die Kinder gruseln sich«, sagt se immer. Sie wässert das Speisezimmer sowieso immer gleich nach dem Abendbrot ein. Damit trickst sie sich selber aus, wissen Se, ohne Zähne geht sie nämlich nicht mehr an die Schipstüte beim Fernsehen. Die Doktorn hat ihr ordentlich den Kopf gewaschen wegen des Gewichts und Blutdruck und so, jedenfalls achtet sie nun ein bisschen darauf, gesünder und nicht mehr so viel zu essen.

Jedenfalls habe ich mich so erschrocken, als ich unsere Bisshilfen da im Mondschein durchs Wasser treiben sah, dass ich richtig Herzrasen bekam und gar nicht mehr in den Schlaf fand. Reineweg rammdösig war ich den ganzen nächsten Tag, da half auch keine zweite Tasse Bohnenkaffee zum Frühstück, ausnahmsweise. Er war auch sehr dünn. Ilse kocht den Kaffee immer dünn, ohne Extralöffel für die Kanne. Da können Se ruhig zwei Tassen nehmen, ich habe manchmal den Verdacht, Ilse steckt mit der Doktorschen und meiner Tochter unter einer Decke und hält mich knapp mit ungesunden Sachen.

Wenn man neu in so eine Gemeinschaft kommt, ist man ja etwas unsicher. Wir benahmen uns deshalb erst mal so wie alle anderen, um nicht anzuecken. Ganz gelang uns das nicht. Ilse und ich behielten nämlich die Büstenhalter an, und Kurt trug keine Radfahrerhosen in leuchtendem Mintgrün wie viele andere ältere Herren, wo Se den direkten Blick auf die Familienjuwelen hatten. Himmel! Ich möchte da gar nicht näher drauf eingehen. Wir studierten gleich noch mal die Zeltplatzverfassung Paragraf für Paragraf, ob wir wohl einen Passus überlesen hatten, der Büstenhalter auf dem Campingplatz verbot, konnten aber nichts finden. Die Leute liefen offenbar freiwillig so rum.

Wir grüßten freundlich, und die meisten grüßten auch zurück. Viele duzten sich ja untereinander, das ist unter Campern so üblich. Uns sprachen jedoch alle mit »Sie« an, worüber ich auch recht froh war. Ich mag diese Du-zerei nicht. Schließlich waren wir auf dem Zeltplatz und nicht bei der SPD. Es hat so was Respektloses, finde ich. Viele finden das ja unkompliziert, aber für mich hat es was mit Anstand zu tun. »Habe Ehrfurcht vor schneewei-ßem Haar«, hat Opa Strelemann mich schon gelehrt. Ich sagte noch als Backfisch zu unserer Nachbarin »Tante

Fechner« und »Sie«. Jedenfalls stellte sich bald raus, dass das mit dem Grüßen auf dem Zeltplatz offenbar hauptsächlich unter den Dauercampern üblich war. Die, die nur für eine Nacht ihr Zelt aufschlugen oder den Hänger zwischen den Kiefern aufbockten, die sprachen sowieso nicht viel. Die standen dann im Waschhaus neben einem und schrubbten wortlos und starren Blickes die Hacken, ohne einen auch nur eines Blickes zu würdigen oder zu grüßen. Na ja. Muss ja jeder selbst wissen! Wie man in den Wald reinruft, so ruft es auch wieder heraus, so heißt es, und deshalb grüßte ich auch nicht. Pah!

Unsere direkten Nachbarn waren wie gesagt die Herr und Frau Hupe mit ihrer Tochter.

Herr Hupe hieß Klaus und war Fliesenleger. Ilse entdeckte sofort Gemeinsamkeiten. Sie hatte im Fernsehen einen Bericht gesehen, in dem es hieß, dass schlimme Knie eine Berufskrankheit bei Fliesenlegern waren, weil die eben den ganzen Tag auf allen vieren rumkrauchen. Da ist es kein Wunder, dass denen spätestens mit fuffzich das Bein dicke ist, genauer gesagt das Knie.

Ilse selbst hat ja schon auf einer Seite Ersatz. Ihre Arthrose macht ihr zunehmend zu schaffen. In unserem Alter sind die da großzügig mit Ersatzteilen. In der Jugend gibt man ab und zahlt ein – Mandeln, Blinddarm und so was –, und wenn man alt ist, kriegt man zurück, was kaputt ist. In meinem Fall eine Hüfte, bei Ilse ein Kniegelenk. Noch zögert sie es raus mit dem zweiten Bein, aber lange geht es nicht mehr, dann isse fällig. »Der Doktor wetzt schon die Messer«, knurrt Kurt oft. »Guck doch mal, die kann doch kaum noch krauchen!« Ilse isst viele gesunde Sachen, damit die Gelenkschmiere flutschig bleibt. Bei Gläsers kommt nicht nur freitags, sondern bestimmt dreimal die Woche fetter Fisch auf den Tisch. Da sind sich sogar Ilses Doktor und meine Kirsten einig, dass das guttut. Dazu Ingwer, Spinat, Knoblauch und Nüsse. Im Grunde alles leckere Sachen, und dazu die vielen Kapseln aus dem Verkaufsfernsehen, die Ilses Knorpel im Knie fett füttern sollen. Ilse hat mehrmals versucht, mit Herrn Hupe ein Gespräch über die Gelenke anzufangen, aber er war einfach noch nicht in dem Alter, wo er gern über Krankheiten sprach. Er wimmelte sie stets ab, was Ilse sehr traurig machte. Sie marschierte sogar mit ihren Pillenbüchsen rüber und hielt ihm einen Vortrag über Hylofix und Glucaflott und wie der ganze Quatsch hieß, aber er hatte da so gar keine Ader für.

Frau Hupe hingegen naschte von allen Kapseln eine, aber da packte Ilse die wieder ein. »Dafür ist das nicht gedacht!«, schimpfte sie und schüttelte verständnislos den Kopf. Frau Hupe hatte auch genug probiert und schüttelte sich ebenfalls, weil sie von dem Zeug so fischig hat aufstoßen müssen.

Herr Hupe musste sich immer Strümpfe anziehen, bevor er in den Wagen durfte, sonst blökte seine Frau ihn an: »Du hast kohlrabischwarze Füße! Trampel mir ja den Wagen nicht dreckig!« Draußen ging er – es war ja warm! – barfuß. Den halben Urlaub hüpfte der einbeinig durch den Mahlsand, weil er ständig die Socken an- und auspolkte im Stehen. Der hat richtig kräftige Waden gekriegt, und von Arthrose im Knie war wirklich nichts zu merken. Ilse hatte wohl vorschnell einen Leidensbruder gewittert. Vielleicht war er ja auch ein Scheff-Fliesenleger, wissen Se, einer, der knien lässt und nicht selbst auf alle viere geht.

Nee, mit Herrn Hupe wurde Ilse nicht warm, im Gegensatz zum Herrn Habicht.

Die kleine Hupe, also die Tochter, war um die zehn Jahre alt und hieß Säwännah Bijonzie. So nannte Frau Hupe das Kind aber nur, wenn das Balg was angestellt hatte. Meist riefen die Eltern sie »Wennie«. Da fragt man sich ja, warum sie sie erst so komisch getauft haben, wenn sie dann doch anders sagen! Kirsten ist Kirsten und war schon immer Kirsten, Punkt. Und es soll auch keiner wagen, »Renati« zu mir zu sagen. Die kleine Lisbeth nennt mich »Oma Nate«, aber das ist, weil sie noch nicht so gut sprechen kann. Das verwächst sich bestimmt noch. Man kann das überhaupt nicht vergleichen.

Frau Hupe hatte deutlich mehr auf den Rippen, als gesund ist. Sie behauptete, es liege bei ihr an den Drüsen und eine Diät habe gar keinen Sinn. Sie habe schon ganz oft Sport gemacht, ohne Erfolg. Offensichtlich. Erst neulich habe sie sich ein Fahrrad angeschafft, eins, was eine Batterie im Sattel hat. Oder irgendwo im Gestänge, man weiß das ja nie so genau. Man sieht es auch nicht richtig! Jedenfalls berichtete Frau Hupe, dass sie nun jeden Tag mit dem … jetzt weiß ich es wieder: Ihbaik! Nee, warten Se, mit Bindestrich gehört das … I-Beik. Mich regt das ja auf mit den englischen Worten, die unsere schöne Sprache verhunzen. Jawoll, ich tippe auch manchmal »wissen Se« statt »wissen Sie«, aber sind wir doch mal ehrlich – da plappert eine Oma, wie ihr der Schnabel gewachsen ist, und Sie verstehen trotzdem, was ich meine, oder etwa nicht? Aber wem ist denn der Schnabel schon so gewachsen, dass er von alleine »I-Beik« sagt? Das ist doch nur Angeberei und Wichtigtun, wenn Se mich fragen. Ach, was soll ich mich aufregen, es nützt ja nichts. An Händi habe ich mich gewöhnt, und auch an Smufiemacher und Thermosmischer und all den Kram. Man muss mit der Zeit gehen, sonst wird man alt im Kopp und bleibt außen vor. Aber man muss auch nicht jeden Quatsch mitmachen! Wenn es mir zu bunt wird, halte ich es mit dem klugen Rat von Oma Strelemann. Die hat immer gesagt: »Sprich Deutsch mit mir, sonst spreche ich Platt!«

Jedenfalls ist die Hupe morgens manchmal mit ihrem Batteriedrahtesel über den Campingplatz und hat Brötchen geholt und für sich eine Cremeschnitte zur Belohnung, weil sie ja Sport getrieben hat. Dabei musste sie nur einmal treten, den Rest hat der eingebaute Strom gemacht. Das hab ich genau gesehen. Die hatte nicht eine Schwitzperle auf der Stirn, als sie ihr Strommoped wieder geparkt hat. Ihr Mann hat alle paar Tage die Batterie betankt, und so brummte die Hupe morgens ab und an zum Brötchenholen (jedenfalls wenn sie nicht lieber länger schlief). Ich fand das Gefährt ja spannend und nahm mir vor, auch mal eine kleine Spritztour mit so einer Maschine zu unternehmen. Aber nicht hier, nicht auf dem Campingplatz, wo alle gucken. Wissen Se, ich habe jahrelang nicht auf einem Fahrrad gesessen, da hat man dann nicht gern Publikum, wenn es wieder losgeht. Nee, das würde ich zu Hause machen in Spandau. Wobei, wenn die Berber guckt, ist es auch nicht schön.

Ilse war auch ganz fasziniert von dem Gefährt und ließ es sich von Herrn Hupe genau erklären. Der sagte, da gebe es nicht viel zu beachten, man könne sich einfach draufsetzen und losfahren. Es sei ein ganz normales Fahrrad, und wenn es bergan geht oder der Wind mal von vorne pustet, könne man eine kleine Unterstützung zuschalten, die dann hilft. Wie, wenn die kleinen Kinder Fahrradfahren lernen und der Vati mit der einen Hand ein bisschen schiebt. Der Hupe plapperte zwar nicht gerade wie ein Wasserfall, aber das war spürbar mehr sein Thema, da war er gesprächiger als bei Arthrose. Ilse traute sich jedoch nicht so richtig, gleich aufzusteigen, wohl auch vor allem, weil sie den engen Rock trug an dem Tag. Den schilffarbenen, wissen Se, der ihr so gut steht. Auch wenn das Rad den niedrigen Einstieg für ältere Damen hatte und man sich nicht draufschwingen musste wie auf ein Pferd. Sie war neugierig, und wir machten aus, dass wir auf jeden Fall mal I-Beiks ausborgen und eine Runde drehen würden. Wer weiß, vielleicht wäre das auch was für die Stadt? Wissen Se, wie oft der Bus zu spät kommt oder rammelvoll ist? Ach, das wäre doch eine feine Sache!

Die kurze Fahrt zum Kiosk war dann aber im Grunde auch schon alles, was die Hupe sich am Tag bewegte. Eine merkwürdige Person war das. Beruflich war sie … ich weiß gar nicht, ob das ein Beruf ist? Sie sagte, sie wäre Spielhallenaufsicht. Das ist doch an der Grenze zur Unterwelt, wenn Se mich fragen. Auf jeden Fall nicht seriös. Die hatte nicht mal Gardinen am Vorzelt, so eine war das. Die meiste Zeit lag sie wie eine Presswurst in der Hängematte und las. Keine richtigen Bücher, sondern so Hefte mit Krankenschwestern und Förstern vorne drauf. Die Dinger hießen »Manuela – der lange Weg zum kleinen Glück« oder so in der Art. Manche Dinge muss man gar nicht lesen, um zu wissen, dass sie nichts taugen. Die sind eigentlich für alte Damen, aber die Hupe, die höchstens vierzig war, kaufte die Schundromane im Kilopack auf dem Flohmarkt und las zwei oder drei Stück am Tag. Man merkte immer, wenn sie auf die letzten Seiten kam, dann schnäuzte sie sich in ihr Taschentuch (das nicht gebügelt war! Ich glaube fast, das war so ein billiges aus Papier) und wischte sich Tränen weg. Zum Ende hin kriegen se sich doch in diesen Heftchen immer – der Chefarzt und der Oberförster oder die Krankenschwester und die Tierärztin … nee, jetzt bin ich durcheinandergekommen. Obwohl, heutzutage … ich lasse das einfach so stehen. Da weiß man doch schon, was passiert, wenn man nur den Titel liest! Also, für mich ist das nichts. Frau Hupe las die Dinger mit Leidenschaft und naschte dazu Konfekt und ihre Cremeschnitten.

»Leben und leben lassen«, lautet meine Devise. Solange man mich in Frieden lässt, soll jedes Tierchen seine Plessierchen entfalten, und mit Tierchen meine ich in dem Fall die Frau Hupe genauso wie die Mücken.

Mücken sind ja ein ganz großes Thema auf so einem Zeltplatz, erst recht, wenn man einen See in der Nähe hat. Wir haben uns ständig mit Mittelchen eingerieben, die streng riechen und die Viecher in die Flucht schlagen sollten, aber es nützte nur bedingt. Ilse war am laufenden Band dabei, sich zu kratzen. Sie hatte Mückenstiche selbst an Stellen, die sie nicht frei zeigte. Mir war es ja ein Rätsel, wie die Viecher durch die dicke Schicht Sonnenmilch überhaupt durchkamen, die Ilse sich und Kurt auftrug. Sie schmierten sich ständig mit Tunke ein! Da hat die Werbung wirklich ganze Arbeit geleistet, es ging fast keiner auf dem Platz ohne Schutz raus. Außer dem ollen Habicht, aber der hatte so ledergegerbte Haut, bei dem wäre eine ganze Flasche einfach so versickert, und man wäre nicht mal über das Gesicht hinausgekommen.

Der sah aus wie eine olle Ledertasche. Die Hupe von nebenan rief der kleinen Wennie entweder »Aber erst einschmieren, Kind!« nach oder dass sie was zu essen vom Büdchen mitbringen solle. Das Hupenkind wartete aber nicht ab, bis die Schmiere eingetrocknet war, sondern rannte gleich los in den See. Na, wie Kinder eben so sind, nich wahr? Lebhaft und nur am Rumtoben. Wenn die zum Caravan zurücklief, sah sie immer aus wie ein paniertes Schnitzel. Überall klebte ihr der Sand und die Kiefernnadeln. Und die anderen Leute glänzten alle ölig, als wären sie einer großen Sardinenbüchse entsprungen.

Ilse hatte nach Lichtschutzfaktor fünfzig gegriffen beim Einkaufen. Nach dem Motto »Da hat man mehr fürs Geld«. Das ist aber eine weiße Paste, die sich zäh auf die Haut legt und da liegen bleibt wie Gips. Das Zeug trocknete nicht ein und sickerte nicht weg. Sobald Kurt sich bewegte, weil er vielleicht mal wieder die Vorzeltgeranien goss oder harkte, und was von der Sonnenmilch abbröckelte, gipste Ilse nach. Gläsers sahen den ganzen Urlaub über aus wie in einen Kalkeimer gefallen. Dazu trugen sie Strohhüte mit breiten Krempen, nee, ich sag Ihnen, da hatte die Sonne keine Schangse. Ich musste an meine Freundin Gertrud denken, die sich auf der Beerdigung ihres Gustavs damals auch zurechtgemacht hat wie eine Bienenzüchterin. Sie trug einen großen schwarzen Hut, der ihr tief ins Gesicht reichte, und davor einen Schleier. Ich erkannte sie nur am Gang und an der Stimme. Sie selbst konnte auch kaum was sehen und klopfte sich mit dem Gehstock den Weg frei, damit sie nirgends anstieß.

Die Lichtschutzschmiere ließ wirklich keinen Strahl durch, und auch nach den drei Wochen Urlaub hatte Ilse kein bisschen Sonnenbräune angenommen. Als wir zum Aquaturnen waren in der Woche nach den Ferien, verschwanden ihre dünnen Beinchen Ton in Ton vor den weißen Fliesen des Badebeckens.

Irgendwie schafften die Mücken es aber trotzdem, sich durchzuarbeiten, denn Ilse war nur am Kratzen und Scheuern. Dabei weiß die ganz genau, dass Kratzen alles nur noch schlimmer macht! Man ist mit zweiundachtzig Jahren und Arthrose im Knie auch nicht mehr so gelenkig, dass man sich an allen Stellen scheuern könnte, das sage ich Ihnen. Die schubbelte sich manchmal am Baum wie eine Buntgescheckte am Weidezaun. Die arme Ilse. Ihre Beine sahen aus wie gekalkte Stelzen mit Himbeersprenkeln. Die Mücken kannten kein Erbarmen, Ilse hat wohl süßes Blut. An Kurt gingen die nicht ran, ich glaube, der Zigarrenrauch verschreckte sie. Außerdem stand der ja im Prinzip ab Sonnenaufgang an jedem Grill, den einer auf dem gesamten Campingplatz anzündete, und roch wie Weihnachtsschinken frisch aus der Räucherkammer. Da machten die Mücken einen großen Bogen drum. Zu mir verirrte sich auch hin und wieder so ein Viech, aber das klatschte ich beherzt ins Mückenjenseits. »Renate, eigentlich müssten die doch dich anbohren und nicht mich!« scherzte Ilse. Aber Sie wissen ja: Ich bin eben nicht süß, ich hab bloß Zucker! Hihi!

Als sich Hupes mal wieder mit Mückenschutz besprühten, hörte ich Frau Hupe sehr ungezogen zu ihrem Klaus sagen: »Die Alten drüben müssen nicht sprühen, die haben ihr 4711. Da geht weder ein Kerl noch eine Mücke dran.«

Das war sehr hässlich von ihr. Über mein Parföng lästern, aber selber hängte sie Duftbäumchen »Caipirinha-

Erdbeere« auf. Ariane stichelt auch oft gegen meinen Duft und reißt demonstrativ das Fenster auf, wenn ich auf Besuch komme. Es ist wirklich ein wunderbarer Duft, der zu allen Gelegenheiten passt und der nie aufdringlich wirkt. 4711 erfrischt und belebt und ist gleichzeitig elegant und aufreizend, wenn Se verstehen, was ich meine. Ariane mag den Duft jedoch nicht und schimpft frech: »Wenn du das Zeug trägst, Tante Renate, schlägst du Mücken, Männer und Mitgiftjäger in die Flucht!« Nee, auf den Mund gefallen ist sie nicht, unsere Ariane, wenn auch ungezogen. Aber das ist das Recht der Jugend, keck und frech zu sein, so muss man es wohl sehen. Das Duftbäumchen der Hupe stinkt aber so furchtbar, dass man das Würgen kriegt, sage ich Ihnen!

Kurt ist ja nicht sehr fein und sagt offen, was er denkt. *Wenn* er denn mal was sagt, meist schweigt er ja. Aber um die Frau Hupe machte er sich auch gewisse Sorgen. Als wir bei unserer abendlichen Grillwurst saßen, guckte er rüber und sagte dann leise zu Ilse und mir: »Die war den ganzen Tag noch nicht raus aus ihrer Matte, oder? Die muss man doch mal wenden, damit sie keinen Hitzschlag kriegt in der Sonne!« Ilse biss sich von innen auf die Wangen, um sich das Lachen zu verkneifen, wissen Se, die hat dasselbe gedacht wie Kurt, aber sie ist viel zu gut erzogen, um so was auszusprechen.

Wir aßen erst gemütlich zu Ende, und als Ilse und ich uns mit dem Abwaschkorb Richtung Waschhaus aufmachten, schlenderte Kurt unauffällig rüber zum Nachbargrundstück und plauderte ein paar nette Sätze mit der Hupe. Als wir mit dem gespülten Geschirr zurück waren, saß auch Kurt wieder im Campingstuhl vor unserem Vorzelt und blinzelte in die untergehende Sonne.

Ach, es war ein schöner, lauer Sommerabend. Die Grillen zirpten, die Finken sangen … und Frau Hupe schrie auf, was die schöne Idylle kaputt machte. Der Günter Habicht hatte nämlich die Rasensprengeranlage so eingestellt, dass die automatisch abends um Schlag acht das Spritzen anfing. Die moderne Technik macht da ja Sachen möglich, man glaubt es nicht. Hätte der Habicht zu Hause Interweb gehabt, hätte der das sogar mit dem Schmartfon anstellen können! Jedenfalls muss wohl jemand beim Schlendern über den Rasen den Sprenger verdreht haben, und nun ging das Geschoss los und sprühte der Hupe wie ein Wasserwerfer von unten durch die Hängematte gegen Rücken und Po. Natürlich hat sie nicht nur gejuchzt, sondern sprang auch wie von der Tarantel gestochen auf und rannte dem Rasensprenger direkt in den Strahl. Nun wurde auch noch die Vorderseite nass. Kurt tat so, als würde er das nur ganz am Rande bemerken, aber um seine Mundwinkel huschte so ein freches Grinsen. Nur ganz kurz, aber ich sah es genau! »Ach, guckt bloß an!«, sagte er. »Und sie bewegt sich doch.«

Ab dem nächsten Tag brüllte Frau Hupe immer um kurz vor acht nach ihrem Klaus, und er musste gucken, ob der Sprenger auch richtig stand. Kurt fand das schade. »Die kriegt doch die Klauenfäule, wenn die sich nicht mal bewegt!«, knurrte er.

Wissen Se, wenn man bei den Leuten klopft und sich kurz vorstellt, kommt man doch schnell ins Gespräch und weiß, wo man hingehen kann, wenn man Hilfe oder einen Rat braucht. Man lernt die Menschen ein bisschen kennen und erfährt so manches über die Camper. Deshalb machte ich meine Runde, während Ilse sich hausfraulich im Wohnwagen austobte.

Wenn zwei Frauen ein Reich teilen müssen, geht das selten gut, selbst wenn es alte Freundinnen sind wie Ilse und ich. Ilse zum Beispiel macht immer eine Schlagkante in die Paradekissen, ich nicht. Also, oben so in die Mitte, dass es aussieht, als hätte das Kissen zwei Zipfelchen. Verstehen Se, was ich meine? Jedenfalls sind wir tüchtig aneinandergeraten, denn ich habe die Kissen in der Sitzecke immer wieder neu aufgeschüttelt. Ilse ist da ganz wutig geworden und hat wie so eine Karatekämpferin wieder ihren Knick in die Kissen gekloppt.

Oder auch die Sache mit dem Wasserkochen: Ilse ist eine prima Köchin, da lasse ich nichts auf sie kommen. Sie kredenzt jeden Tag eine warme Mahlzeit und zaubert an Festtagen für die ganze Familie Menüs oder Büfetts, da staunen Sie. Aber sie kann kein heißes Wasser. Wenn Ilse einen Topf mit Wasser aufsetzt, sagen wir mal, um die Königsberger Klopse zu kochen, dann stellt sie ihn auf die Platte und guckt nach einer Minute, ob es schon heiß ist. Große Güte, man muss doch nach weit über sechzig Jahren als Hausfrau hinterm Herd wissen, dass es mehr als einen Augenblick dauert! Aber da hat Ilse kein Zeitgefühl. Sie rupft so oft den Deckel vom Topf und guckt rein, dass sie das Wasser schon gleich ohne Deckel kochen könnte. Zum Ende hin, kurz bevor es wirklich kocht, ist sie oft schon wieder mit ganz anderen Dingen beschäftigt und wischt meinetwegen den Kühlschrank aus oder schüttelt die Betten auf oder haut die Kissen. Dann sprudelt das Wasser schon mal zehn Minuten munter vor sich hin. Mich macht so was wahnsinnig! Oder auch, wenn sie Kartoffeln kocht: Ich lasse die sprudelnd aufkochen und drehe dann auf kleine Stufe, sodass sie leicht simmern. Heißer als hundert Grad wird Wasser nun mal nicht. Ilse lässt es sprudelnd kochen, so dolle, dass die Kartoffeln wie wild im Topf tanzen und das Stärkewasser überkocht und den ganzen Herd einsaut. Das kriegen Se nicht mehr raus aus Ilse, da ist sie eben, wie sie ist. Jeder hat seine Eigenheiten und seine Schwächen, ich bestimmt auch.

Es war also besser, sich ein bisschen aus dem Weg zu gehen und sich die Hausarbeit aufzuteilen: einen Tag Ilse, einen Tag ich.

»Ich will ja gar nicht putzen, ich will nur ein bisschen sauber machen«, sagte Ilse. Den Unterschied kann nur eine richtige Hausfrau verstehen. Wenn man mal rasch mit dem Lappen über das Regal geht, ist das doch kein Staubwischen! Wissen Se, am Wochenende, da mache ich richtig sauber. Da wische ich erst mit dem Staublappen und mache mir dann das Eimerchen mit einem Spritzer Meister Popper fertig. Dann wird feucht mit einem weichen Lappen gewischt und hinterher mit einem trockenen Tuch poliert. Das ist Saubermachen! Aber wenn man morgens während des Lüftens kurz mit dem Tuch über die Tür von der Anbauwand geht – das ist »nur rasch wischen«. Genauso ist es mit dem Wohnmobil auch. Es war ja unser Zuhause für die Urlaubszeit, da sollte das auch reine sein. Ilse und ich waren da einer Meinung, nur dass wir uns beim Saubermachen eben auf den Füßen standen. Und um dieses Ärgernis zu umschiffen, gingen wir uns aus dem Weg.

Man muss sich ja nach dem Frühstück sowieso ein bisschen die Füße vertreten, wissen Se, die ganze Zeit nur auf engstem Raum rumsitzen und sich auf die Pelle rücken, das tut der Stimmung auf Dauer nicht gut. An den Tagen, an denen ich den Haushalt machte, ging Ilse ihrer Wege, und wenn sie dran war, flanierte ich derweil über den Platz. So hatten wir uns gut arrangiert und kamen miteinander aus.

Ich war gerade dabei, die Resopalplatte richtig zu scheuern – Ilse hatte die am Tag vorher zwar gewischt, aber … ach, ich sage lieber nichts. Ich habe sie jedenfalls *richtig* gescheuert, und danach war sie auch sauber. Während ich mit Scheuersand und kochend Wasser zugange war, fiel mein Blick aus dem Fensterchen unseres Wohnmobils rüber zum Platzwartbüro. Ich traute meinen Augen nicht: Dort bestieg Ilse gerade den Rasentrecker von Günter Habicht.

»Kurt!«, rief ich, während ich eilig die Trittleiter runterkletterte, das Wischtuch noch auf der Schulter. »Kurt, du musst da eingreifen, guck doch nur, Ilse will mit dem Trecker …« Kurt hatte das aber schon längst gesehen, wissen Se, der saß im Vorzelt und winkte Ilse noch aufmunternd zu! Der Habicht lief langsam neben Ilse und dem Trecker her und erklärte ihr nach und nach die Hebel. Jetzt war er mal der Lehrer und Ilse die Schülerin, na, das gefiel ihm! So kompliziert schien das aber nicht zu sein, denn unser Ilschen kam prima zurecht und fuhr niemanden um. Die Frau ist immer für eine Überraschung gut, sage ich Ihnen. Man denkt, sie kann nur Canasta und Kreuzworträtsel, und dabei entpuppt sie sich als Rennfahrertalent!

Na, von Stund an war alles anders. Ilse mähte in jeder freien Minute – und davon hat man reichlich im Urlaub! – den Rasen und fuhr mit dem Trecker. Erst lief der Habicht noch nebenher, aber Ilse war bald so sicher, dass er sie alleine losdüsen ließ. Sie stieß sogar rückwärts neben das Büro auf den Parkplatz im Schatten, wenn sie fertig war, denken Se sich das bloß.

Ja, ein bisschen gemein war das von Ilse: Während Kurt den Camperbus nicht fahren durfte, lernte sie Treckerfahren und brummte mit dem Rasentrimmer über den Platz. Das machte Kurt aber nichts aus. Er beschäftigte sich auch, wenn er nicht fahren durfte, mit dem Wohnmobil. Kurt betrachtete es in gewisser Weise als sein Fahrzeug. Er sagt immer: »Der Wagen ist die Visitenkarte des Fahrers«, und würde nie mit dem Koyota losfahren, ohne noch mal die Scheiben und die Spiegel des Wagens blank zu putzen. Auch wenn Pollen fliegen, ist Kurt in einem fort mit dem Wischtuch am Wagen. Der Koyota ist ja blitzeblank und sauber. Da lässt Kurt nichts auf sich kommen, der ist in jeder freien Minute mit einem Eimerchen Fitwasser in der Garage und wischt den Wagen sauber. Man muss staunen, wie er da jede Kleinigkeit sieht! Nicht eine Mücke oder schwarze Gnitze hat der Koyota an den Scheinwerfern. Andere Autos sind da immer mit einer dicken Kruste Insekten besprenkelt – Kurts Koyota nie. Gut, so vorsichtig, wie Kurt fährt, haben die Insekten aber auch wirklich alle Zeit der Welt, um noch auszuweichen, aber wenn sich wirklich mal was da verfängt, wird das gleich wegpoliert. Hier auf dem Zeltplatz ist Kurt jeden Tag mit dem Tuch über den Campingwagen gegangen. Pollenstaub und Regentropfen hatten keine Schangse. Man will ja keinen schlechten Eindruck machen, da waren Ilse und ich ganz bei ihm. Wenn man da mit einem verdreckten Karren auf dem Platz steht, na, da würde ich mich schämen! Mag sein, den jungen Leuten ist so was egal, aber wir wollten uns nicht schämen müssen. Wenn man aus dem Haus geht, guckt man ja auch, ob die Frisur richtig sitzt, und kämmt sich, oder etwa nicht?

Ich fuhr nicht mit dem Rasentrecker, nein, ich machte eine kleine Runde über den Platz und sagte »Guten Tag« zu den Nachbarn, während Ilse im Haushalt werkelte.

Was soll ich Ihnen sagen: Wenn ich alles zusammennähme, was die Leute mir an nur einem Vormittag »hinter vorgehaltener Hand« zuflüsterten, na, da könnte ich Ihnen einen Krimi aufschreiben. Oder wenigstens eins von Frau Hupes Schundheftchen. Das *konnte* gar nicht alles stimmen! Es ging um Fremdgehen, ein uneheliches Kind in Südamerika, Rauschgift, gestohlene Wäsche von der Leine, und der olle Opa Galle soll angeblich irgendwo auf dem Platz sogar die Beute aus einem Bankraub vergraben haben.

Als Erstes klopfte ich am Bungalow, an dessen Klingel »Schlottmann« stand. Hier wohnte die Familie Saldini. Es waren Zirkusartisten! Sie wohnten in einem Wohnwagen, und zwar immer und ständig, nicht nur in den Ferien. Da sie aber auch mal freihaben und nicht jeden Abend auf dem Esel durch die Manege reiten wollten, machten sie nun Urlaub hier auf dem Campingplatz. Frau Saldini-Schlottmann berichtete, sie hätten nicht alle Tiere unterbringen können, und mussten nun mit einem Pony, einem Äffchen, das gern Gummibärchen fraß, und einem schielenden Papagei hier versuchen, Ruhe zu finden. Sie nannten sich »Saldini«, weil sich »Schlottmann« auf den Plakaten für den Zirkus nicht so gut machte. Ewald warf mit Messern, meist auf Mechthild Schlottmann-Saldini. Aber als wir eines Abends beim Grillen zusammensaßen und Ilse nach Besteck fragte, flog ihr ein Dolch nur Millimeter am Ohr vorbei und stach zitternd in der Tischplatte ein. Ilse war fix und fertig mit den Nerven, und ich musste ihr einen Korn zur Beruhigung holen. Frau Saldini hatte sich hauptsächlich mit den Viechern zu befassen. Wie sie das so erzählte, war ich regelrecht froh, dass meine Kirsten nicht zugegen war. Ein schielender Papagei und ein Pony, das Blähungen hatte – ich bitte Sie. Kirsten wäre zur Höchstform aufgelaufen und hätte mit den Tieren bis zum Morgengrauen meditiert.

Bei den Zirkusvorführungen ritt Frau Saldini auf dem Pony oder einem Esel im Kreis, und während sie im Schneidersitz auf dem Rücken des Tieres hing, zog sie ihr Bein über den Kopf und rauchte mit den Zehen eine Zigarette. Sie hatte aber nun zunehmend Probleme damit, wissen Se, ich fragte nicht nach dem Alter, aber da die Silberhochzeit ins Haus stand, konnte man schon ersehen, dass sie keine dreißig mehr war. Unsereins muss sich ja zum Schnürsenkelzubinden schon setzen, weil es im Rücken kneift. Gertrud hat sogar komplett kapituliert und sich weiche beigefarbene Schuhe mit Klettverschluss gekauft.

Mit Klettverschluss!

Wie demütigend, nee, das mache ich nicht. So weit ist es noch nicht, ich bestehe auf Schleife. Wozu hat mir Opa Strelemann schließlich beigebracht, wie man eine Schleife bindet?! Er hat immer gesagt: »Renate, du darfst nicht zur Schule, wenn du noch keine Schleife binden kannst. Nur große Mädchen, die sich alleine die Schuhe binden können, dürfen in die Schule.«

Kontrolliert hat das in der Schule aber keiner.

Letzthin habe ich Gertrud ein bisschen aufgezogen.

Wir gucken ja immer, dass wir im Koppe frisch bleiben und auch mal unter Leute kommen. Da mache ich gern mit ihr mal einen Kurs an der Volkshochschule. Nicht so einen Blödsinn wie Töpfern, das ist nichts für uns. Da muss man dann so irdene Kruken kneten, aus denen dann doch das Wasser tropft, oder Aschenbecher. Heute raucht doch eh keiner mehr! Und auch nicht »Floristik für Senioren«. Aber es gibt auch sinnvolle Kurse. Englisch oder auch »Souveräner Umgang mit dem Schmartfon«. »Testament, Erbschaftssteuer und Patientenverfügung« haben wir auch gemacht, aber da ist Gertrud eingeschlafen. Sie wollte unbedingt zu »Weihnachtsschmuck aus böhmischen Hohlglasperlen«, und auch wenn ich die Frickelei mit den Perlen ziemlich beschwerlich fand – ich habe ein bisschen Arthrose in den Fingern, wissen Se –, stimmte ich zu und freute mich, dass sie mal von sich aus was vorschlug. Sonst muss ich sie immer treten! Aber wenn man ehrlich ist, hat sie den Kursus nach dem Kursleiter ausgesucht. Der Perlenbastler war ein älterer Herr mit tschechischem Dialekt. So was macht Gertrud ja … wie sagen die jungen Leute? – wuschig! Da wird sie ganz wild und vergisst ihre Kinderstube. Wenn wir mal italienisch essen, lässt sie sich immer vom Kellner die Karte vorlesen und schmilzt dabei lächelnd dahin und frickelt an ihren Blusenknöpfen.

Na ja, jedenfalls sollten es nun Weihnachtssterne aus böhmischen Perlen sein, und ich verklappste sie ein bisschen und sagte zu ihr: »Gertrud, da kannst du aber nur hin, wenn du dir neue Schuhe kaufst. Nur große Mädchen, die sich eine Schleife binden können, dürfen in die Schule!« Sie guckte ganz traurig auf ihren Klettverschluss, und ich musste sie ein bisschen in die Seite buffen, bis sie merkte, dass ich nur einen kleinen Spaß gemacht habe.

Frau Saldini und ich plauderten sehr nett, sie holte gleich eine Flasche Likör und meinte, wir müssten einen trinken. Sie war mir sehr sympathisch. Da sie seit Jahren hier urlaubte, kannte sie sich wirklich gut aus und wusste auch über Günter Habicht ein bisschen Bescheid. Aber erst musste ich mir die Bankräuberlegende von Opa Galle anhören.

Opa Galle hatte ihr auf dem Sterbebett erzählt, dass er hier auf dem Platz die Beute aus einem Bankraub vergraben hätte. Er war aber schon so lala im Kopp, dass sie nicht mehr aus ihm rauskriegten, wo genau er den Schatz wohl verbuddelt haben will. So ganz konnte man die Geschichte nicht als Blödsinn abtun, darauf bestand Frau Saldini, denn Opa Galles Frau war eine geborene Sass, und die Sass-Brüder waren vor nun über hundert Jahren berühmte Ganoven in Berlin. Ihr größter Coup war der Raub in der Diskontobank am Wittenbergplatz gewesen. Sie hatten sich durch einen Tunnel in den Schließfachraum gegraben und da alles ausgeräumt. Die reichen Leute hatten – so munkelte man – dort wahre Berge von Gold und Geld vor der Steuer gehortet, sodass man bis heute nur mutmaßen kann, wie viel es war. Vom Schatz ist bis heute kein Fitzelchen aufgetaucht. So weit stimmt die Geschichte und ist verbürgt, mein Opa Strelemann hat mir davon auch erzählt, als ich noch ein kleines Mädchen war. Allerdings hieß es bis jetzt immer, die Sass-Brüder hätten ihre Beute im Berliner Grunewald vergraben. Ein Polizeibeamter habe gesehen, wie die Burschen bei Nacht und Nebel mit Spaten aus dem Tann kamen, so erzählt man sich, aber was heißt das schon? Vielleicht hat der Gendarm das nur gesagt, weil er eine falsche Spur legen wollte! Jedenfalls glaubte Herr Saldini felsenfest an die Geschichte von Opa Galle, der behauptet hat, der Schatz solle hier in der Nähe des Sees liegen.

Seither buddelt der Saldini wie ein Wilder in jeder freien Minute unter irgendeinem Vorwand auf dem Platz rum. Ich hatte mich schon gewundert! Der tut immer so, als würde er Blumen umtopfen, aber es ist schon sehr auffällig. Wissen Se, wenn einer mit dem Spaten knietief unter den Kiefern gräbt, dann wundert man sich doch. Jeder, der auch nur ein bisschen von Garten versteht, weiß, dass Narzissen nicht einen Meter tief verbuddelt werden.

Frau Saldini schleckte die Kaffeetasse, die wir mangels Likörschalen genommen hatten, mit ihrer langen Zunge gierig aus und schenkte einen zweiten Schnaps ein. Ich wollte nicht so recht, wissen Se, ich hatte noch mehr Antrittsbesuche zu machen, aber sie sprach: »Kommen Sie, Frau Bergmann, auf einem Bein kann man doch nicht stehen!« Während sie das sagte, humpelte ihr dreibeiniger Hund in den Bungalow und strafte sie in gewisser Weise Lügen. Sie zündete sich mit dem rechten Fuß eine Zigarette an. Gelenkig war se, die Dame, da musste man staunen. Auch wenn sie nichts vertrug. Wobei der Eierkonjack selbst gemacht war und mit siebzig Prozent »Prima Sprit«, das muss man zu ihren Gunsten sagen.

Normalerweise mischt sich eine Renate Bergmann nicht in fremde Angelegenheiten, aber in diesem verrückten Fall sagte ich leichthin: »Frau Saldini, wer weiß, wer weiß … also, wenn ich Opa Galle gewesen wäre, ich hätte den Schatz im See versenkt und nicht hier vergraben.«

Die Saldini erstarrte und guckte mich entgeistert an. »Bella Donna! Maria«, stieß sie rauchig-zischelnd aus. Man sah geradezu, wie es in ihr ratterte. Die glaubte den Quatsch, den ich im Spaß gesagt hatte, offenbar. Ich wusste gar nicht, ob ich lachen oder Angst kriegen sollte, und sah zu, dass ich mit meinem Likörfläschchen weiterkam. Von dem Tag an hörte die Buddelei auf jeden Fall auf, und Herr Saldini fing das Rudern an und stocherte im See rum wie ein Irrer. In jeder freien Minute – und ich sage Ihnen, davon hat man viele auf einem Zeltplatz, schließlich ist man da im Urlaub! – lungerte er am Steg rum und versuchte die Kinder zum Tauchen zu überreden.

Wissen Se, ich bin ja keine, die gern vor einem kahlen, weißen Wohnwagen sitzt, mit grau gepflastertem Grillplatz womöglich noch. Deshalb hatte ich die Geranien mitgenommen, damit unser Campingdomizil hübsch und einladend aussah.

Außerdem: Wer sollte die denn zu Hause gießen? Die Blumen, die mussten mit. Ich habe die im Frühjahr für teures Geld gekauft und sie gehegt und gepflegt. Prima Dünger habe ich mir gegönnt, wissen Se, den bieten die im Fernsehschopping feil. Aber nur einmal im Jahr, da muss man ganz schnell sein und zugreifen, sonst ist er ausverkauft, und man guckt in die Röhre. Ja, der Dünger ist ganz was Besonderes, davon wachsen die Pflänzchen stark und kräftig, und meine Geranien sind eine Pracht. Ich fülle mir auch immer ein kleines Fläschchen ab für die Friedhöfe, meine Männer sollen es schließlich auch schön haben. »Was die Bergmann mit ihren Blumen macht, weiß ich nicht, aber das Grab von ihrem

Walter erkennst du schon von Weitem, Inge, das sieht aus wie ein Blütenmeer«, hat Grete Puschelhoff neulich geflüstert, als ich gerade hinterm Grabstein das Unkraut weggejätet habe. Da war ich schon sehr stolz. So was wird eben doch wahrgenommen, und es fällt auf einen zurück. Man ist ja doch lieber als die aufopfernde Witwe, auf deren Grab die Pracht sprießt, bekannt im Kiez als die olle Liederliche, die sich nicht richtig kümmert.

Die Geranientöpfe kamen dran ans Vorzelt und basta! Wenn man über drei Wochen auf dem Zeltplatz hausiert, ist das eine recht lange Zeit, da will man es doch nett haben.

Aber wie mit allem ist es auch mit der Dekoration eine Frage des Maßes.

Ich schlenderte weiter im Revier der Dauercamper, gute hundert Meter linker Hand rüber zum Büdchen hin, müssen Se sich vorstellen. Die hausten da nicht in Zelten oder fahrbaren Bussen, sondern die hatten richtige Bungalows.

Gleich vorne wohnten die Knurrhahns. Sie waren steinalt, wissen Se, und wenn ich das sage, heißt das was. Jockel und Else Knurrhahn hatten ihren Bungalow mit Gartenzwergen … nun, sind wir mal großzügig und nennen es »verziert«. Das ist aber sehr großzügig von mir, glauben Se das. Ich kann das kaum beschreiben, da standen Hunderte bunte Figuren aus Plastik auf ihrer Parzelle. *Hunderte!* Sehr viele Gartenzwerge waren dabei, von denen manche die Hosen runtergelassen hatten und das nackte Gesäß zeigten, aber auch ein hüfthoher Förster mit Gewehr, Dackel und Fernglas. Dazu überall Bienchen, Schnecken und Windmühlen; Kätzchen, Kaffeetassen mit lustigen Gesichtern, Hasen, ein Graureiher und ein riiiiiesiges Wildschwein. Man konnte vor lauter Gerümpel kaum was von der Laube sehen. Um den ganzen Zoo drum rum hatte der olle Knurrhahn einen weißen Zaun aus Plaste gezogen, der den Wicken als Rankhilfe diente. Ich wäre am liebsten wie in Gertruds Wohnstube mit einem großen Müllsack einmal durchgegangen und hätte ein bisschen aufgeräumt. Es war einfach von allem zu viel. Aber Geschmäcker sind nun mal verschieden, und auch wenn es nicht nur Ilse und mir gleich ins Auge gesprungen war, sondern auch der Habicht die Knurrhahns auf dem Kieker hatte, konnte man nichts machen. Die waren Dauercamper und hatten ihren Plunderzoo schon aufgestellt, bevor der Quatsch durch die Platzordnung begrenzt worden war.

Abgesehen davon hätte sich Jockel Knurrhahn auch nicht für eine Platzordnung interessiert. Es konnte sich schon keiner mehr erinnern, wann der auf den Platz gezogen war. Günter Habicht erzählte, die ersten Zeltplatzbücher mit Belegungsverzeichnis waren von 1963, da stand der Knurrhahn schon als Dauercamper drin. Man machte sich seitens der Zeltplatzregierung langsam Gedanken, was wohl werden würde, wenn einer von den beiden Knurrhahns mal … also, irgendwann ist ja für jeden der Tag gekommen, nich wahr? »Wie ich den kenne, will der hier unter den Tannen beerdigt werden, mit seinem Wildschwein als Grabschmuck. Aber das kann der vergessen. Der kommt hier weg, und die Zwergenfarm wird plattgemacht!«, schimpfte der Habicht. Jeden Morgen guckte er enttäuscht, wenn er bei Knurrhahns Bewegung sah, so wie die Meiser auch immer traurig ist, wenn ich die Jalousien hochziehe.

Die Knurrhähne hatten ein eigenes Auto, mit dem

sie einmal im Monat losfuhren, um die Rente abzuheben und einzukaufen. Wissen Se, Opa Knurrhahn war deutlich älter als Kurt, ich würde schätzen, dass er sogar über die neunzig schon drüber war. Und seine Else war nicht mehr gut zu Fuß. Die ging ganz schief und hörte schlecht. Deshalb hatte es auch gar keinen Sinn, sich mit den Knurrhähnen zu unterhalten, und alles, was ich Ihnen hier aufschreibe, habe ich von Günter Habicht erfahren.

Wenn Einkaufstag bei Knurrhahns war, war das eine große Aufregung für den ganzen Zeltplatz. Der Habicht machte eine Durchsage über den Platzfunk, damit sich die Leute nicht so erschreckten und vorgewarnt waren. Die olle Rostlaube war nämlich so ein riesiger Merzedes-Schlitten, Baujahr '67. Der fuhr mit Diesel. Mit reichlich Diesel, und da der Wagen nur einmal im Monat gestartet wurde und auch seit vierzig Jahren in keiner Werkstatt mehr gewesen war, gab es immer ganz viel Rauch und laute Verpuffungen, wenn der Jockel den Zündschlüssel drehte. Und wegen des steifen Knies rutschte er auch schon mal vom Gaspedal ab. Jedenfalls war es besser, wenn der Habicht eine Warnung über den Zeltplatzfunk durchgab, damit alle besser in ihren Zelten und Wohnwagen blieben, bis die Gefahr vorbei war.

Opa Knurrhahn hatte auch den Beifahrersitz ausgebaut, wissen Se, es machte ihn nicht nur nervös, wenn Else ihm ins Lenkrad griff, nein, so hatten sie auch mehr Platz im Wagen. Da sie ja nur einmal im Monat losfuhren, kam da natürlich eine Menge an Einkäufen zusammen, wer kennt das nicht? Na ja, jedenfalls saß Else auf der Rückbank. Hinten gab es aber keine Gurte. Damals gab es nämlich noch keine Anschnallpflicht. Damit sie bei einer Kontrolle keine Strafe zahlen mussten, hatte sich Else eine kleine Fußbank in das Auto gestellt, vorne, da, wo früher der Beifahrersitz war. Sobald sie in die Stadt kamen, stieg Else nach vorne auf ihre Hutsche, schnallte sich an und lächelte möglichst unverdächtig. Wegen der Sicherheit. Die Polizisten im Umkreis trauten sich aber eh alle nicht, den Jockel anzuhalten. Opa Knurrhahn hatte einmal einem Schutzmann mit seiner Krücke, mit der er beim Schalten kuppelt und die er deswegen sowieso immer in der Hand hat, so empfindlich eins übergezogen, dass bei dem nun erst mal die Familienplanung auf Eis lag. So was spricht sich doch rum im Kollegenkreis! Mit Jockel Knurrhahn will sich keiner anlegen, und da er über neunzig war, dachten die sich: »Das lohnt sich nicht mehr, das Problem wird ›Kommissar Zeit‹ bald lösen.«

An ihrem Ausflugstag fuhren die beiden zunächst zur Sparkasse und hoben dort ab, was an Rente überwiesen worden war, und dann ging es weiter zur Kaufhalle. Das kam ja deutlich billiger, als alles am Kiosk zu holen, und auch günstiger als im Dorflädchen. Dort kaufte man nur frische Brötchen und wenn eine Kleinigkeit fehlte. Auf jeder Ausflugstour machten sie dann voll beladen noch einen Abstecher und kauften ein weiteres Plastiktier für den Vorgarten. Einen Zwerg, ein Reh, eine Windmühle oder einen weiteren Wetterhahn.

»Er rückt nicht mit der Sprache raus, wo er den Plasteplunder herkriegt«, klagte Günter Habicht verzweifelt, »wir haben ihn schon zweimal zum Gespräch vorgeladen. Wenn ich das wüsste, würde ich den Nachschub unterbinden und die Quelle trockenlegen. Ich bin der Rußwolke sogar schon nachgefahren vor ein paar Monaten. Sie haben nirgendwo angehalten, nur einmal musste Else im Straßengraben pullern. Trotzdem stand am nächsten Morgen ein weiterer rosa Flamingo auf einem Bein vor Jockels Bungalow. Es ist mir ein Rätsel.«

Ich konnte den Platzwart gut verstehen, wissen Se, einerseits gönnte man den ollen Leuten ja das bisschen Freude. Was hatten sie denn sonst? Gut, da war noch ihre Kuckucksuhr. Das vermaledeite Ding machte alle Stunde Radau, aber Knurrhahns ergötzten sich daran. Und ihre Sammlung an Gartenzwergen brachte Farbe in ihr Leben. Sehr viel Farbe, in allen Schattierungen von Quietschebunt. Fast so viel Farbe, wie sich die Frau Berber ins Gesicht schmiert, wenn sie tanzen geht, und dann sieht sie aus, als hätte eine Dreijährige einen Regenbogen gemalt. Knurrhahns holten Farbe in ihr Leben, und nicht nur in ihr Leben, sondern auf den ganzen Platz. Aber es war nun mal gegen die Platzordnung, da verstand ich den Habicht schon.

Und er dachte ja auch weiter: »Frau Bergmann, die Leute sind über neunzig. Früher oder später passiert da was. Kinder haben sie nicht, und was meinen Sie, wer den Plunder mal wegräumt? Für den Kram brauche ich auch keinen Trödeltrupp zu bestellen, das geht alles in den Container. Und das kostet. Wenn ich nur wüsste, wo der Dreck herkommt!«, fluchte er weiter.

Mir ging das gar nicht aus dem Kopf. Wir waren über achtzig! Ob der über uns wohl genauso sprach? Wann fängt das an? Man darf gar nicht drüber nachdenken.

Vorn am Eingang hatten Knurrhahns ein mittlerweile verblichenes Schild aufgehängt. »Vorsicht vor dem Hunde« stand darauf. Der Hund war 1983 verstorben. Jockel saß die meiste Zeit irgendwo zwischen den vielen bunten Reihern und las in seiner Zeitung, während die krumm gehende Else im Grunde genommen den ganzen Tag damit beschäftigt war, die Gartenzwerge abzuseifen. Sie ahnen ja nicht, wie schnell die Dinger verdrecken! Nach jedem Regenguss spritzen da Modder und Schmadder dran, und wenn es nicht regnet, ist es Staub. Man sieht ja alles dran, so klein, wie die sind. Else seifte jeden Tag den Zwergen die blank gezogenen Hintern ein und wischte Vogelschiete von den Windmühlen und vom Kunststoffkeiler.

Wissen Se, wir waren nördlich von Berlin und gerade einen Steinwurf vom Meer entfernt. Früher hat man die Ostsee ja auch die »Badewanne von Berlin« genannt, und wir waren bis auf achtzig Kilometer ran ans Meer. Das wäre mit Kurts Koyota eine Fahrt von nicht mal drei Stunden gewesen, ein Katzensprung sozusagen. Wobei, wenn ich mir mein Katerle so angucke ... der springt nicht mehr. Der schleicht eher zum Ziel. Aber er ist ja auch ein älterer Herr. Als ich den aus dem Tierheim geholt habe, hatte der schon geschätzte elf Jahre auf dem Buckel und hatte in seinem an sich wunderschönen schwarzen Fell sogar ein paar graue Härchen. So was macht einen Mann ja attraktiv. Ariane nannte Katerle deshalb auch immer Schorsch Kluni. Was meinen Se, wie Schwester Sabine neulich geguckt hat, als Ariane mich vom Doktor abgeholt hat. Sie hatte es eilig wie immer und drängelte, und irgendwann sagte sie: »Mach jetzt hin, Tante Renate, Schorsch Kluni wartet auf deiner Couch!« Da hätten Se mal das Gesicht von Schwester Sabine sehen sollen!

Nee, ich gebe Katerle keinen Namen. Der heißt Katerle und fertig. Das ist praktisch! Sehen Se: Die vom

Tierheim geben einer alten Dame kein Tier mehr, das eine höhere Lebenserwartung hat als sie selbst. Da sind die ganz streng, und es ist auch richtig so. Meist haben die Viecher kein leichtes Leben hinter sich, und wenn sie dann nach ein paar Monaten, wenn sie sich gerade eingelebt haben, wieder ins Tierheim zurückmüssen, ist das doch schrecklich für die Katze, und am Ende muss Kirsten wieder Traumatherapie machen. Deshalb kriege ich betagte Tiere. Das ist aber auch ganz in Ordnung, wissen Se, so ein stürmischer Kater, der nachts rauswill und die Miezen im halben Kiez schwängert, wäre nichts für meine Nerven. Wenn ein älteres Kätzchen noch ein paar schöne Jahre bei mir hat, ist das doch prima. Deshalb heißen die einfach Katerle bei mir, wissen Se, ich käme sonst ganz durcheinander. Im Alter kann man sich neue Sachen nicht mehr so gut merken. Und machen wir uns da auch nichts vor, eine Katze ist meist ein sehr eigensinniger Charakter und macht, was sie will. Das interessiert die ü-ber-haupt nicht, ob Sie sie rufen! Erst recht nicht, ob Sie dabei nun »Pussilein«, »Katerle« oder »Schorsch Kluni« flöten. Eine Katze kommt, wenn sie Hunger hat, und ganz selten, wenn sie mal gekrault werden will. Genau wie ein Mann im Grunde.

Nun wusste ich schon mal ungefähr, wo wir da gelandet waren und mit was für Leuten wir es zu tun hatten. Ich lernte recht schnell, dass man ganz viele verschiedene Camper unterscheiden muss. Die sind um Himmels willen nicht alle gleich!

Da gibt es die sogenannten Dauercamper. Die darf man nicht verwechseln mit den Wintercampern, zu denen komme ich noch. Die Dauercamper sind nicht nur in der Sommerfrische da und urlauben ein paar Wochen, sondern sie bleiben die ganze Saison über. Sie sind im Grunde wie die Winterreifen am Koyota: Die bleiben auch von Ostern bis Oktober. Meist fahren die gleich im Frühjahr raus auf den Zeltplatz, der oft gar nicht weit weg von zu Hause ist. Manche machen auch runter bis nach Italien oder zum Balaton, weil sie es von Kindheit an nicht anders kennen, aber da sind se dann nur am Jammern, dass der Aufschnitt nicht schmeckt, dass es kein Schwarzbrot gibt oder dass so viele Ausländer da sind. Wobei die am Gardasee da auch schon prima auf die deutschen Rentner eingestellt sind, mit Körnerbrot und Schnitzel mit Pommfritz, habe ich mir berichten lassen. Schlottmanns haben Freunde, die fahren jedes Jahr. Die nehmen die Kühltasche voll mit abgepacktem Aufschnitt mit. Das Zeug hält sich ja, und so kommen sie erst im Herbst wieder, wenn die letzte Scheibe Blutwurst gegessen ist.

Die Dauercamper sind häufig ältere Herrschaften. Die jüngsten sind so knapp über fuffzich. Das sind oft frühpensionierte Lehrer, die mit den Nerven so durch den Wind sind, dass se keine Kinder mehr sehen können. Dann rennen die ab Ende vierzig alle paar Wochen zum Doktor und lassen sich bescheinigen, dass es so nicht weitergeht. Nach einem halben Jahr hat der Doktor dann auch die Nase voll von dem Gejammer und bestätigt ihnen, dass sie eine Auszeit brauchen wegen Autbörn. Da sind se dann erst mal ein paar Monate zu Hause, lesen viel, rennen ins Museum und blättern schon mal die Kataloge durch, was so ein Campingwagen wohl kostet. Danach lassen se sich die Rente oder die Pension ausrechnen, zählen das Gesparte, na ja, und wenn das alles zusammen langt, dann werden die Anträge gestellt auf Frühpensionierung. Das sind ja gebildete Leute, die sich gut auskennen mit Formularen und die wissen, wem se was wie sagen müssen, damit das durchgeht. Nicht so wie unsereins, die wegen einer Kur immer nur Absagen von der Kasse kriegen. Trotz Zucker und Hüfte!

Die Dauercamper wohnen wie gesagt in gemauerten Bungalows oder haben ihren Wagen fest auf dem Zeltplatz stehen. Der von Hechlers steht seit nun bald vierzig Jahren am selben Fleck. Den haben die vom Autohändler da hingezogen, aufgebockt und über die Jahre – ach, was sage ich, Jahrzehnte! – regelrecht einwachsen lassen in die Hecke. »Dornröschens Wohnwagen« sozusagen. Hechlers haben auch kein Vorzelt mit Heringshaken im Rasen, sondern das Ding ist praktisch eingemauert. Den können die gar nicht mehr bewegen, selbst wenn sie wollten. Als die jungsche Schnepfe den Platz frisch geerbt hatte, damals, 1998, da mussten sie noch mal ran. Die hat nämlich alles ein bisschen geändert, und die Dauercamper mussten hinten unter die Tannen, vorne wollte sie die Tagesgäste haben, damit sie die ein bisschen besser unter Kontrolle hat. Na, da war was los! Herr Hechler hat mit dem Rechtsanwalt gedroht, aber trotzdem führte kein Weg vorbei: Die olle Schlurre musste weg vom Platz und rüber an den Waldrand. Sie mussten ihn aus den Hagebutten freischneiden und unter die großen Tannen schieben. Das war das einzige Mal, dass sich die Räder des Wohnwagens gedreht haben seit 1976, als sie ihn vom Karavanenhändler auf den Platz geschleppt haben. Damals natürlich noch Hechler senior, jetzt Hechler selig. Er liegt nur ein paar Reihen weiter von meinem Franz, haben wir beim

Plaudern rausgefunden. Da habe ich gleich angeboten, ihn mitzugießen im Sommer. Hechlers sind doch über Monate nicht da! Und zwei Kannen mehr machen mir nichts aus, bis zur Pumpe sind es nur ein paar Schritte, und ich mache die Kannen eh nur halb voll.

Hechlers haben sich eingerichtet auf dem Platz und fühlen sich pudelwohl. Die wollen gar nicht woandershin. »Wir sind viel rumgekommen im Leben«, erzählte Herr Hechler, »wir waren '85 auf der Landwirtschaftsausstellung in Wonnebruckel. Ein paar Jahre später, als der Junge dann da war, haben wir ihn aus dem Kinderferienlager von hinter der Kreisstadt abgeholt, und zur Silberhochzeit waren wir sogar im Hotel in Walsböreecke. Da hatten die Kinder zusammengelegt und uns verschickt. Nee, schön war es, man kann nicht meckern. Aber richtig Urlaub ist es nur auf dem Campingplatz.« Sie fahren im Sommer nur alle paar Wochen mal rein nach Berlin, wenn die Tabletten alle sind. Die sind eben nicht geschickt im Umgang mit ihrer Doktorschen und lassen sich mit Blutdruck für nur drei Wochen abspeisen. Schwester Sabine von meiner Frau Dr. Bürgel kriegt zweimal im Jahr ein Päckchen Krönung, und dann schreibt die mir meine Pillen gleich für ein halbes Jahr Vorrat auf. Ich bitte Sie, man muss doch mitrechnen! Der Fahrschein für den Bus, die Zuzahlung in der Apotheke … da spare ich mehr, als mich die zwei Pfund Bohnen kosten. Jedenfalls wenn sie im Angebot sind.

Na ja, und sie müssen ja auch mal wegen Post gucken, ein paar Behördengänge erledigen oder sich auf dem einen oder anderen runden Geburtstag blicken lassen. Was eben so anfällt. Für Beerdigungen haben sie noch nicht das Alter, die Hechlers.

Wintercamper waren auch da, aber die sind mir suspekt. Die haben meist einen kleinen Hau, wenn Se verstehen, was ich meine. Die bleiben nicht nur den Sommer über, wie normale Leute, und machen sich auf den Weg nach Hause, wenn im Oktober der erste Frost kommt. Nee, da geht das für die erst richtig los. Die fühlen sich erst wohl, wenn ihnen der Lokus einfriert. Manche haben die Wohnung nur noch für die Post, weil die ja auf den Zeltplatz nicht rauskommt, und als Meldeadresse für die Behörden. Die schleppen Eimer mit Wasser in ihren Wohnwagen, weil die Leitung im Winter natürlich vereist ist, und halten sich mit Gaskochern am Leben. Was das ins Geld geht! Da darf man gar nicht rechnen. Mit denen kam ich nicht ins Gespräch, die sind ein bisschen wie Leute aus einer Sekte, wenn Se mich fragen.

Na, und dann gibt es Zelter, außerdem Leute mit Wohnwagen hinterm Auto und solche, die nur für eine Nacht bleiben und dann weiterziehen, das geht alles über Kreuz. Es gibt welche, die drei Wochen in einem kleinen Zelt auf dem Flecken bleiben und solche, die es schön finden, sich jede Nacht die Kiennadeln auf einem anderen Zeltplatz aus dem Nachthemd zu klauben. Andere sind mit schwer beladenen Fahrrädern unterwegs, die radeln jeden Tag gemütlich (so sagen die …) fünfzig Kilometer und betten dann ihr Haupt auf den nächsten Platz, der ihnen vor den Lenker kommt. Was daran gemütlich ist, sich sechs Stunden den Hintern auf einem schmalen Fahrradsattel platt zu drücken, ist mir zwar schleierhaft, aber ich muss ja nicht alles verstehen. Jeder nach seiner Fassong! Die Familie Biermann waren solche Leute, die verfolgten eine sehr nette Idee. Davon muss ich Ihnen kurz berichten. Sie haben doch einen Moment?

Es gibt einen Europaradweg, das hat mir Herr Biermann erklärt. Der geht von London bis Moskau, immer mit dem Fahrrad lang, über fünftausend Kilometer. Als die Kinder aus dem Gröbsten raus waren, sind er und seine Frau die Sache angegangen: Sie sind mit der Eisenbahn los, bis England, die Räder und zwei große Rucksäcke mit dem Nötigsten im Schlepptau, und dann immer etappenweise den Radweg lang durch ganz Europa. Natürlich nicht am Stück, wissen Se, die Biermanns sind gemütliche Leute, die nicht hetzen. Im ersten Jahr haben sie drei Wochen lang das Stück von England bis nach Hause in Berlin abgestrampelt, im zweiten Jahr dann vom Russen oben über Polen bis zurück. Da kann man was erleben! Ach, wenn ich jünger wäre, das würde mir auch gefallen. Aber da finden Se natürlich keinen Reisebusanbieter, der so was im Programm hat. Herr Biermann hat mir das alles erzählt und nebenbei noch erklärt, wie man auf Pferde wettet. Frau Biermann winkte nur ab, sie konnte das Gequassel von den Viechern schon nicht mehr hören und machte sich daran, ein paar Eier in die Pfanne auf dem Campinggaskocher zu schlagen. Herr Biermann erklärte mir derweil, wie man Wettscheine ausfüllt und dass ich nie auf ein Tier wetten dürfe, das schwitzt. Das wäre nicht gut, hat er mir erklärt. Ich wollte überhaupt nicht wetten, sondern nur »Guten Tag« sagen, im Leben hätte ich ~~keine Mark~~ keinen Euro für so was ausgegeben, also wirklich, so weit kommt es noch. Und wenn, dann würde ich auf einen Schimmel setzen. Man will schließlich auch sehen, ob man gewonnen hat, wenn die Tiere ins Ziel stürzen, nicht wahr?

Den Dauercampern konnte man nichts glauben, das habe ich schnell durchschaut. Die konnten sich untereinander alle nicht leiden und neideten einander den angeblich besseren Stellplatz. Da zog einer über den anderen her und sprach abfällig über den Nachbarn. Ich glaube, wenn die sich mal an einen Tisch gesetzt hätten und einfach die Stellplätze getauscht hätten, die wären alle glücklich und zufrieden gewesen. So guckten sie nur miesepetrig und verbissen zum Nachbarn rüber, dem sie den schönen Platz nicht gönnten. Himmel, nee! Die versauten sich den ganzen Tag und lauerten darauf, dass einer gegen eine Regel verstößt, was sie dann dem Habicht meldeten, und hofften darauf, dass der dem dann an den Karren fuhr und sie vielleicht aufrücken würden mit ihrem Platz. Die einen wollten ein bisschen dichter ran ans Waschhaus, die anderen näher an den Wald und die Saldinis neuerdings näher an den See.

Sie kennen mich, ich muss immer Kontakt haben mit den Leuten und wissen, mit wem ich es zu tun habe. Ich machte also meine Runde mit einer Flasche Likör und stellte mich überall, wo einer zu Hause war, vor, derweil Ilse sich mit dem Wischlappen im Wohnmobil austobte.

Als Frau Hupe mich mit der Flasche von der Saldini kommen sah, winkte sie mir mit ihrem Sekt zu. Sie betonte ja jeden Tag, wenn sie ihren süßen Sprudelspumante aufmachte, dass sie ja eigentlich nicht trinkt. Aber schließlich sei Urlaub, und da müsse man es sich auch mal gut gehen lassen. Es machte müde »Plopp«, und dann perlte ihre lauwarme Blubberbrause schon wieder träge in den Becher aus Plastik. Ein Glas benutzte die Dame nicht, und so oft, wie sie aus der Hängematte nach dem Becher hangelte und ihn dabei umschmiss, machte das auch

Sinn. Man hätte jeden Tag Scherben kehren müssen. Im Grunde wäre so eine Lerntasse für Babys angemessen gewesen, die eine Unwucht hat und sich automatisch wieder aufstellt. Kennen Se bestimmt auch, nich?

Die Hupe kannte ich zwar schon, aber aus Höflichkeit ging ich rasch rüber und trank auch mit ihr ein Gläschen auf gute Nachbarschaft. Ihr Sekt war wirklich fürchterlich süß und schmeckte wie perlende Farbverdünnung. Pfui Deibel! Ich sah zu, dass ich weiterkam. Meist hatte die Hupe bis Mittag schon eine Flasche vom süßen Sekt leer, und nachmittags ging es mit Rotwein aus dem Tetrapack weiter. Sie trank gern kalten Glühwein. »Der ist so schön süß«, begründete sie das. Mir als Diabetiker stand da gleich der Schweiß auf der Stirn. Wissen Se, wir lassen ja alle mal die Doktorsche eine gute Frau sein und schlagen ein bisschen über die Stränge, aber man kann sich doch nicht nur von reinem Zucker ernähren! Für meine Begriffe gipste die Dame sich gerade die Arterien mit Scholesterin von innen zu, aber bitte. Was ging es mich an? »Die meisten Selbstmorde werden mit Messer und Gabel begangen«, hat der alte Doktor Pecher immer gesagt, wenn Opa Strelemann fetten Speck auf Brot gegessen hat.

Auf meiner Runde über den Platz lernte ich nicht nur die Leute ein bisschen kennen, sondern erfuhr auch das eine oder andere über den Habicht, unseren Oberzeltplatzaufseher. Der war brubbelig und irgendwie immer da, wo man ihn nicht erwartete. Ilse rechnete nach, wann sie ihn als Vertretungslehrerin in der fünften Klasse unter den Fittichen hatte, und meinte, er sei Ende sechzig. Er wirkte aber älter.

Herr und Frau Hechler kannten den Habicht ein bisschen besser als die, die nur in der Saison für ein paar Wochen kommen. Hechlers wohnten sehr hübsch. Sie waren zauberhaft eingerichtet, da konnte man nichts sagen. Bürgerlich. Ein Deckchen aus geklöppelter Spitze lag auf dem Tisch, in der Mitte stand eine kleine Vase mit sommerlichen Wiesenblumen. Auch schöne Bilder waren aufgehängt. Wenn der Wagen nicht bewegt wird, muss man die ja auch nicht mit vier Schrauben festdübeln, sondern kann ganz normal wie zu Hause hängen. Ein Hirsch röhrte vor einer Bergwand brünstig nach einer Hirschkuh, während ein Gewitter aufzog. Sehr hübsch! Es erinnerte mich an die Wohnstube von Gertrud ...

Schlottmanns wussten zu berichten, dass der Habicht im Haus seiner seligen Frau Mutter in Drömershagen lebte. Das war recht groß und hatte Grundstück und Garten, und trotzdem war ihm langweilig zu Hause. Deshalb verdiente er sich was dazu auf dem Platz und war im Grunde den ganzen Tag hier. Der ging nur zum Schlafen nach Hause oder aber ins Altenheim. Dort friemelte er als »guter Geist« rum und schraubte den Alten die Türklinken fest und solche Sachen. Es war zu einer bösen Auseinandersetzung mit der Heimleiterin gekommen, als der Habicht den Bauchtanzkurs der Seniorinnen mit dem Händi filmte und das beim Fäßbock vorzeigte, und einmal gab es auch Ärger, als er die Klinke zu fest geschraubt hatte und Opa Pütz nicht pünktlich zum Abendbrot aus dem Zimmer kam und er keine Schinkenröllchen mehr abkriegte.

Günter Habicht war ein regelrechter Stinkstiefel. Er war seit jetzt fünf Jahren hier, erzählte die Hechlersche.

Alle dachten erst, dass er verwitwet wäre, aber an einem langen Grillabend, als Werner Hechler dem Habicht ein paar Bier spendierte, löste das seine Zunge, und er kam raus mit der Sprache: Ihm war tatsächlich mit fünfundsechzig Jahren die Frau weggelaufen. Ich kenne die Habichtfrau nicht, aber trotzdem zeigte ich ihr innerlich den Daumen hoch und dachte: »Richtig gemacht.« Sie hatte gewartet, bis sie beide in Rente waren, und sich dann gedacht, dass der Lebensabend doch netter wäre ohne Günter im Turnhemd und mit Bierflasche auf der Couch. »Schöner Wohnen ohne Günter« war ihr Motto, und so hat sie ihre Tasche gepackt, ist zu ihrer Schwester gezogen und zum Scheidungsanwalt ins Büro marschiert. Man munkelt, dass es umgekehrt war, aber das tut nichts zur Sache. Im Grunde hat sie es richtig gemacht: Sie ist gegangen, solange noch Versorgungsausgleich und Unterhalt zu holen war. Für Geschiedene gibt es ja auch keine Gießpflicht, wenn es mal so weit ist, das kommt noch hinzu. Was die Frau sich erspart, ist beachtlich!

Günter hatte sich das ganze Leben lang muffelig allen Leuten gegenüber verhalten, mit denen er zu tun hatte. Bei seinen alten Busfahrerkollegen durfte er sich nicht mehr blicken lassen. Die luden ihn nicht mal ein, wenn sie sich alle zwei Wochen auf ein Bier trafen und darüber schwadronierten, wie schön doch die alten Zeiten waren. Die Elfie Hechler sagte, sogar die Kinder hätten ihm ganz klargemacht, dass sie ihn nicht zu sich nehmen. Er war ja mit nun Ende sechzig auch noch nicht in dem Alter, wo er ein Pflegefall zu werden drohte oder tüddelig im Kopp, aber trotzdem. Die Aussage stand. Die Tochter ist ein paar Monate lang noch hin zu ihm und hat auch beim Umzug geholfen und im Haus auf dem viel zu großen Gehöft ein bisschen durchgewischt und mal die Fenster geputzt, aber auf Dauer ging das nicht gut. Da hat er wohl in einer Kurzschlussreaktion im Streit zur Tochter gesagt: »Dann gehe ich eben ins Heim.«

Ja, das ist ein schwerer Fehler, so was darf man NIEMALS zu den Kindern sagen, merken Se sich das! Kirsten provoziert mich auch gern und wartet im Grunde seit JAHREN nur darauf, dass ich die Nerven verliere und diesen Satz sage. Die hat die Nummer vom Heim bestimmt als Kurzwahl auf ihrem Händi gespeichert und muss nur einmal drücken, und zack!, in einer halben Stunde sind die da und holen mich ab.

Ja, Günter Habicht war so unvorsichtig und hat den Satz gesagt. Aus der Falle kam der nicht mehr raus. Der durfte nur noch aussuchen, in *welches* Heim er geht. Aber da die finanziellen Mittel beschränkt waren, lief es darauf hinaus, dass er dort als Hilfshausmeister anheuerte und erst mal einen Fuß in die Tür kriegte und sich parallel auf dem Zeltplatz was dazu verdiente. Sein Salär legte er auf die Seite und sparte es an, damit es alsbald für einen Heimplatz langte. Die Tochter unterstützte ihn nach Kräften, da entwickelte das Kind ein Engagement, dass man nur staunen kann. Der Vati sollte sicher und störungsfrei endgelagert werden.

Bei Altenheimen sind die ja kaum in ihrer Fantasie zu bremsen, was die Namen angeht. Hier bei mir in Spandau heißt es »Haus Abendsonne«. Das klingt sehr sympathisch, finde ich, und wenn es eines Tages wirklich gar nicht anders geht, habe ich da schon meine Fühler hin ausgestreckt und stelle mich mit der Scheffin immer gut.

Na, gucken Se nicht so! Nicht für mich. Aber Gertrud ist auch zweiundachtzig, Ilse ebenso, und Kurt ist sogar siebenundachtzig. Wenn einer von denen mal ... also, wenn da Hilfe nötig wird, dann muss man doch seine Beziehungen haben. Ein guter, bezahlbarer Heimplatz ist wie ein vernünftiges Fernsehprogramm am Sonnabend: sehr selten. »Haus Abendsonne« ist ein schönes Heim mit Park, ruhig gelegen, die Zimmer hell und geräumig ... und mit den Schwestern muss man sich eben einrichten. Die kriegten deshalb auch eine Postkarte hier aus dem Urlaub.

Früher sagten wir »Feierabendheim«, das war auch schön. »Altenheim« klingt so abwertend, finde ich. Wenn es »Seniorenresidenz« heißt, na, da wissen Se gleich, dass es teuer ist. »Damenstift« ist auch teuer, und wenn es »Seeblick« oder »Elbblick« heißt, dann ist das wie bei Hotels: die lassen sich den Blick teuer bezahlen, und letztlich haben Se nur aus einem Viertel der Zimmer Sicht auf das Wasser.

»Haus Waldblick« zum Beispiel ist auch so ein Fall, das ist missverständlich! Als Gertrud und ich mal ein paar Tage Luftveränderung brauchten und im Harz ausspannen wollten, riefen wir da an und wollten ein Zimmer buchen, weil wir es für ein Hotel hielten. Erst als die wirklich freundliche Dame (das hat man selten heutzutage!) uns den Preis für den Monat und nicht pro Nacht durchsagte, wurden wir stutzig. Als sie dann auch noch anmerkte, dass es im Pflegefall mehr kostet, haben wir einfach aufgelegt.

Man muss so aufpassen bei Altenheimen! Der Name trügt oft. Letzthin habe ich gelesen, dass das »Haus der Ruhe« sein Jubiläum feiert. »Haus der Ruhe«, ja, da erwartet man einen idyllischen Park, in dem man flanieren kann, ein Kammerkonzert zweimal im Monat und vielleicht einen Lesezirkel. Aber als in der Woche darauf in der Zeitung über das Fest berichtet wurde, stand da, dass es fünf Gewinner einer Ballonfahrt gibt! Eine Ballonfahrt, denken Se sich das mal. Mir wird ja schon ganz blümerant in der Magengegend, wenn ich nur daran denke. Das können die doch mit den alten Leutchen nicht machen! Aber was rege ich mich auf, die müssen ja nicht reisen, wenn sie nicht wollen. Was, wenn man da oben mal austreten muss? Viele nehmen doch Wassertabletten ein! Also für mich wäre das nichts. Und wer weiß schon, ob die Reisetabletten überhaupt in so einem Körbchen anschlagen? Nee, ich sage Ihnen: Augen auf bei solchen Entscheidungen. Da gilt es vieles zu bedenken, es ist ja schließlich eine Entscheidung für … für den Rest des Lebens, wie lange auch immer es dauert.

Jetzt, wo ich ein bisschen was über den Habicht wusste, sah ich ihn mit ganz anderen Augen. Übersehen konnte man ihn ja nicht, denn er trug bunte Jockinganzüge aus Ballonseide. Die hatte er in hellem Lila, in Türkis und sogar in einem blassen Gelb. Den gelben hatte er aber nur an trüben Tagen an, weil bei Sonnenschein nämlich diese schwarzen kleinen Gnitzkäfer über ihn herfielen wie die Hupes über die frischen Brötchen. Das kennt man ja, nach Gelb sind die ganz verrückt. Den Bluson obenrum zog er bei warmem Wetter sowieso meist mittags aus und ging im Turnhemd.

Das Wort »Turnhemd« ist eigentlich verkehrt, wissen Se, der Habicht hat das letzte Mal geturnt auf der Volksschule, so wie der aussah. Aber man sagt ja »Turnhemd«, obwohl, »Unterhemd« kann man auch sagen. Ja, das ist passender.

Frau Saldini erzählte, dass es im letzten Jahr einen Vorfall mit dem Habicht gegeben hätte, der bis vor den Kadi ging. Wenn ihn was stört und die Kinder zu laut spielen, holt der einfach den Gartenschlauch und spritzt die eiskalt ab. Ich konnte dabei zunächst nichts finden, wissen Se, im Grunde habe ich meiner Tochter Kirsten die Windel auch so abgewöhnt. Was meinen Se, wie fein die aufs Töpfchen gegangen ist, als ich ihr das Kacka, was an ihren Beinchen runterlief, ein paarmal mit dem Schlauch abgesprüht hatte! Na ja, die Zeiten ändern sich. Hier galt das als schlimmer Vorfall … ich hielt also den Mund und lauschte der Saldini. Sie zündete sich noch rasch eine Zigarette mit dem rechten Fuß an und berichtete: Der Habicht hatte also den Schlauch genommen und auf die Bande gesprüht, die »Himmel und Hölle« hopste. Da waren aber nicht nur Kinder dabei, sondern auch der alte Herr Knoppenschroth, der den Enkeln sogar geholfen hatte mit den Kreidekästchen. Die Kleinen kennen das doch gar nicht mehr, höchstens als Wischspiel für das Scheibchentelefon. Jedenfalls traf der Habicht den Herrn Knoppenschroth mit dem Strahl an der Wade, und es gab ein großes Gemenge mit Nachspiel. Frau Knoppenschroth war nämlich so eine, die auch im Urlaub keine Lust hat, mal fünf gerade sein zu lassen, und sich nie entspannen kann. Die misst auch im Schwimmingspool nach und beschwert sich, wenn das Wasser ein halbes Grad zu kalt ist, und verlangt den halben Reisepreis zurück. Eine Anwaltsgehilfin halt, was will man machen. Die machte da Gewese, Frau Saldini sagte, sie hätte sich tagelang nicht getraut, eine Untertasse zu benutzen. Sie hatte Angst, dass die Knotenschropp sich über das Geklapper aufregt. Die ist nach dem Urlaub zu ihrem Scheff, also zum Anwalt, marschiert und hat das Attentat auf den Gemahl vor den Kadi zerren lassen, man glaubt es kaum! Günter Habicht hatte aber Glück und geriet an einen Richter, der erstens selber Enkel hatte und zweitens schon ein paarmal die Koppelschroth mit ihren Kinkerlitzchen vor sich stehen hatte. Er schmetterte die Klage ab und gab ihr noch mit auf den Weg, ihr Mann solle froh sein, dass er nicht zu den Gerichtskosten noch eine Rechnung für einen Kneippguss obendrauf bekäme, im Kurbad wäre das nämlich teuer. Seitdem gilt der Habicht als rehabilligtier ... also, sagen wir, sein Ruf ist wiederhergestellt.

Ach, die Leute auf dem Campingplatz waren alle freundlich und umgänglich. Die meisten sprachen sich auch mit »Du« an. Hab ich das schon erzählt? Moment, ich guck mal. Nee, kann ich jetzt nicht finden. Egal. Das mag ich jedenfalls nicht, wissen Se, ich ... nein. Meine Generation legt da noch ein bisschen Wert auf Respekt und solche Dinge. Die wenigsten haben mich auch gleich mit »Du« angesprochen, auch nicht die Ilse. Wissen Se, wir sind eben Damen, denen eine gut erzogene Person mit Manieren auch mit ein bisschen Ehrfurcht entgegentritt. Die Frau Hupe streckte jedoch gleich beim ersten Guten-Tag-Sagen die Hand aus und sagte: »Tachchen, ich bin die Carina.« Ich sah Ilses Blick genau in dem Moment. Sie schreckte richtiggehend zurück und zog den Unterkiefer nach hinten. Dadurch werden ihre Lippen ganz schmal, und das ist das untrügliche Zeichen, dass ihr etwas nicht gefällt. Das macht sie auch immer, wenn Kurt beim Kellner noch ein Bier bestellt. Sie parierte gekonnt, indem sie die Hupen-Hand ergriff und mit vollendeter Grandezza lächelnd flötete: »Und ich bin die Frau Gläser, Frau Hupe. Darf ich vorstellen? Das ist Frau Bergmann, und da hinten, der Hering ... Entschuldigung, mit dem Hering in der Hand, das ist mein Mann, der *Herr* Gläser.« Das hat dann sogar die plumpe Frau Hupe verstanden.

Kurt legt ja nicht so viel Wert auf das »Sie«, wissen Se, Männer sind da ja anders. Die stoßen schweigend ihre Bierflaschen aneinander und zack!, sind die so vertraut miteinander, man könnte denken, die wären zusammen aufgewachsen. Die können über Fußball reden, über das Wetter, über Karnickel und über den Benzinverbrauch und verstehen sich sofort. Oder sie reden übers Grillen, das geht auch immer.

Gefrühstückt haben wir jeden Morgen draußen vor dem Wagen. Ach, es war so gemütlich, morgens im Vorzelt zu sitzen! Es duftete fein nach Kiefernnadeln, Bohnenkaffee und erwachendem Tag. Ilse trug Kurt und sich den ersten Kalkanstrich gleich nach dem Waschen auf. Wir frühstückten ausgiebig, machten Zeitungsschau und beratschlagten, was wir mit dem Tag wohl anfangen wollten. Wir schlemmten richtiggehend und ließen es uns gut gehen. Ich machte uns alle paar Tage eine schöne Platte mit Käseaufschnitt und ein bisschen Wurst, wissen Se, viel braucht man ja nicht für drei Hansels. Wenn man das in den Kühlschrank tut, hält sich das ja auch. Eine gute Hausfrau kann doch rechnen: Kurt, Ilse und ich aßen jeder ein Brötchen morgens, davon die eine Hälfte mit Honig oder Marmelade und eine mit Käse oder Wurst. Da kommen Se dann mit vier Scheiben Wurst hin und können immer mal wieder was Frisches holen vom Fleischer und auch mal was anderes probieren. Dazu schnitten wir uns immer eine grüne Gurke auf oder ein paar Tomaten und naschten die dazu. Hin und wieder kochten wir uns auch ein weiches Ei. Ja, wir sind alt und müssen auf den Kolleraspiegel achten, aber im Urlaub darf man auch mal über die Stränge schlagen.

Wissen Se, wir sind alle drei über die achtzig drüber, da hat der Kollera gar keine Zeit mehr, sich in die Arterien zu legen, bis wir uns sowieso die Radieschen von unten angucken. Und es ist auch sowieso umstritten, ob Eier nun ungesund sind oder nicht. Da erzählt Ihnen ja jeder Doktor was anderes! Es gab auch nicht jeden Morgen ein Ei, nur alle drei Tage. Zu Hause gibt es das nur sonntags.

Das Wetter war prächtig und wie für draußen frühstücken gemacht, da hatten wir Glück. Nur bei Wind musste man aufpassen. Einmal hatten wir einen regelrechten Sandsturm, da knirschte es ganz gewaltig unter unseren Prothesen, und das lag nicht an den paar Körnern auf den Schrippen.

Die sind da ja prima auf die Urlauber eingestellt und haben alles am Büdchen, was das Camperherz begehrt: Brötchen in allen Varianten, die Se sich denken können. Dunkel, Dinkel, hell, mit Sesam, Mohn, Sonnenblumenkernen oder Kürbiskörnern, auch Laugenbrezeln oder Milchbrötchen. Körner drinnen, Körner draußen, Körner unten, Körner oben drauf. Chinasamen und schonend gebacken, ach, das ganze Programm! Man hatte da die Qual der Wahl. Das ist manchmal gar nicht so gut, es hält nur den Betrieb auf beim Verkaufen, wenn sich einer nicht entscheiden kann. So was macht mich ja rasend, wenn da so eine dürre Büromieze erst eine Beratung braucht, welche Körner denn wohl ihrer Verdauung guttun, und ewig mit der Verkäuferin verhandelt, ob das Dinkelkorn auch Bio ist oder ob der Kürbiskern wohl die Allergie befeuert. Eine große Kiepe ganz normaler Frühstücksbrötchen wäre da manchmal besser!

Ich muss morgens immer einen Bissen haben, sonst springt mein Kreislauf quer. Man braucht ja auch eine

Grundlage für die Tabletten. Manche sollen nüchtern genommen werden, andere zum Essen und wieder andere nach der Mahlzeit. Ich kann mir nie merken, welche nun wie geschluckt werden sollen, und nasche die so nebenher. Wissen Se, im Magen kommt ja doch alles zusammen! Da können die Pillen sich ja absprechen, wer nun was macht. Also, wer in Richtung Herz geht und wer sich auf den Weg zu den Nieren macht.

Bei Ilse und Kurt ist es noch verrückter, die nehmen nicht nur, was die Doktorsche ihnen verordnet, sondern noch dazu das, was Ilse im Fernsehen bestellt. Für ihr Knie, für die Augen, gegen die Allergie, die sie gar nicht hat ... hören Se mir auf. Die ist so gutgläubig, die Ilse! »Kaffeefahrt im Fernsehen« sage ich immer, wenn sie dem blasierten Doktor an den Lippen hängt vorm Bildschirm. Wenn der so Sachen sagt wie: »Ja, neunundvierzig Euro sind viel Geld, aber ist Ihre Gesundheit, ist Ihr Wohlbefinden Ihnen das nicht wert? Sind *Sie* es sich nicht wert? Wie schnell sind fünfzig Euro ausgegeben, und hier tun Sie etwas für Ihre Gelenke!« Damit kriegt man Ilse ganz schnell rum, und wenn der dann drängelt: »Beeilen Sie sich, unsere Bestände gehen zur Neige« – zack! –, dann greift Ilse zum Telefon und sagt ihre Bestellung durch. Sie nehmen jeder an die fünfzehn große, bunte Kapseln und Pillen, und bei den wenigsten weiß Ilse, wogegen oder wofür es ist.

In unserem Alter nimmt ja jeder was ein, sonst würden wir doch gar nicht mehr in die Gänge kommen morgens! Zucker, Blutdruck, Wassertabletten ... dann was, um den Magen zu schonen, und was, damit die Nieren nicht verrücktspielen bei dem vielen Zeuch. Dazu das, was Ilse im Teleschopp kauft. Manche Kapseln sind so groß wie die Frolics, die Norbert, also, der Hund meiner Freundin Gertrud, kriegt. Wenn Kurt seine Pillen zum Frühstück weghat, schafft er noch ein halbes Brötchen mit Wellfleisch, aber dann ist er auch gut satt bis Mittag. Ilse polkt ja immer das Weiche aus ihren Semmeln, damit sie es schafft. Jeder hat so seine Marotten, aber das fand ich nicht sehr appetitlich. Sie rollte kleine Kügelchen daraus und fütterte sie später den Enten.

Brötchen sind ja wie Buletten: Jeder sagt anders dazu. Das ist manchmal innerhalb einer Stadt schon verschieden! Brötchen, Rundstücke, Wecken, Frikadellen, Schrippen, Semmeln … nee. Warten Se. Frikadellen sind Buletten, die sind falsch in der Reihe. Obwohl, wenn man es genau überlegt, meist ist mehr Brot drin als Fleisch. Da kann ich es auch stehen lassen. Jedenfalls … was wollte ich? Ach ja. Wenn ich »Brötchen« schreibe, wissen Se, was ich meine, ja?

Also, es gab eine große Kiepe normale Frühstücksbrötchen. Die kaufen ja die meisten, obwohl Kirsten sagt, das ist nicht gesund. Weißmehl. Wenn meine Tochter das Stichwort »Weißmehl« irgendwo hört, kriegt sie gleich so einen Bekehrungsdrang und hält Ihnen einen langen, ausufernden Vortrag. Ich höre ja auf mein Mädchen, immerhin meint sie es gut mit der Mutti, und esse auch eher dunkles Brot. Aber nicht ausschließlich und schon gar nicht welches mit Körnern. Die sind oft vom Backen so hart, und auch wenn die Zähne nicht abbrechen, drücken die Körner die Prothese wieder lose, und ich muss alles neu verkleben.

Marmelade hatten wir natürlich von zu Hause mit, das lässt sich Ilse nicht nehmen. Gläsers haben einen großen Garten mit allen Bäumen und Sträuchern, die

Se sich denken können. Wenn im Spätsommer die Beeren und Früchte reif sind, kochen wir fast jede Woche Marmelade, Gelee oder Konfitüre aus allem, was Kurt pflückt. Also, aus fast allem. Man muss schon aufpassen, und das ist auch der Grund, weshalb ich zusehe, dass ich dabei bin. Wenn die Brombeeren Beine haben, sind es Mistkäfer, das wusste schon der olle Zille. Sie wissen ja, Kurts Augen … und die werden auch nicht besser! Ilse gibt sich die größte Mühe und kontrolliert alles genau, aber vier Augen sehen mehr als zwei, und deshalb können Gläsers immer auf mich zählen, wenn Marmelade gekocht wird. Ilse macht ja meist Mehrfruchtmarmelade, dann gibt es keinen Streit und jeder, der ihr ein Glas abnimmt, hat eine kleine Überraschung. Sie hat auch Vorrat für viele Jahre, die Produktion ebbt nie ab. Manches von ihren Marmeladenpamps ist schon ganz grau, das mache ich dann heimlich weg. Das von vor drei Jahren schmeckt man ganz genau raus, da hatte Ilse nämlich ihre Schubeck-Phase und hat überall frischen Ingwer reingerieben. Wenn ich so ein Glas erwische, schmeiße ich das auch weg. Die Leute, die ein Glas Mehrfruchtmarmelade von Ilse bekommen haben, rufen meist nach Verkostung an und zählen auf, was sie rausgeschmeckt haben. Ilse sagt meist dreimal »richtig« und einmal »falsch«, denn sie weiß es natürlich auch nicht mehr, was nun in welchem Glas war. So ist es immer ein nettes Flachsen, alle haben eine kleine Freude und was Gesundes aufs Brot. In Ilses Marmelade ist nämlich keine Schemie! Da kommen nur Zucker rein und Früchte aus dem Garten, und die sind nicht gespritzt. Im Grunde ist der Aufstrich sogar wegan, was ich Kirsten auch gesagt habe. Aber da geht es ja dann wieder mit dem Zucker los und dass der nicht gesund ist. Da hat man dann wieder ein Aufklärungsgespräch am Hals und lernt was über Agates Dicksaft und Kokosblütenzucker. Butter und Margarine – Kurt darf ja nur Margarine, aber nicht von der Doktern her, sondern Ilse verbietet es – hatten wir auch mit. Man muss dem Magen immer eine Kleinigkeit anbieten, und der Appetit kommt ja auch beim Essen.

Ach, wir haben immer schön gemütlich gefrühstückt und Zeitung gelesen. Schließlich hatten wir Urlaub, und im Urlaub hetzt einen ja keiner. Es war ein bisschen umständlich mit der Zeitung. Selbstverständlich habe ich den *Spandauer Boten* im Abonnement, aber was nützt es einem, wenn die Zeitung zu Hause im Kasten liegt, während man hier am See Ferien macht? Wenn man nach drei Wochen nach Hause kommt, ist das Altpapier. Man kann dann noch Malerhütchen draus falten, aber sonst taugt das zu nichts mehr. Die angekündigten Beerdigungen sind alle vorbei, und wie das Wetter vor drei Wochen war, muss man auch nicht mehr nachlesen. Also habe ich vor Reiseantritt angerufen beim *Spandauer Boten*, ob sie uns den nicht nachschicken auf den Campingplatz. Machen se aber nicht. Da fährt keiner raus und bringt die Depesche, war die Antwort. Wenn, dann nur mit Aufpreis und einen Tag später. Aber ich solle nicht traurig sein, sagte der jungsche Bengel am anderen Ende der Strippe, er könne mir ein »Digitalabo« anbieten. Am liebsten für immer, weil die dann nicht mehr im Morgengrauen losmüssen, um mir die Gazette in den Kasten zu stecken, aber ich könne es für die Zeit des Urlaubs ja auch erst mal ausprobieren. Ich hatte keinen Schimmer, wovon der Bengel sprach, ließ mir aber nichts anmerken. Ich sagte, dass ich das mit Stefan besprechen muss und dass ich nichts unterschreibe und sie nichts abbuchen sollen. Stefan legt da großen Wert drauf, der hat mir den Satz aufgeschrieben, ich musste ihn auswendig lernen, und er fragt ihn immer wieder ab. Da passt er sehr gut auf mich auf, dass ich nicht was im Interweb bestelle oder am Telefon abonniere. Stefan hielt das mit dem Digitalabo für eine gute Idee und schrieb mir bei Whotzäpp, dass ich dafür ein »Tablet« brauche.

Was der Junge sich wohl dachte? Als ob ich ohne Tablett auf den Campingplatz reisen würde! Dachte der, ich schleppe das Kaffeegeschirr einzeln raus aus der Küche, durch das Vorzelt an die Tafel? Und richtig buchstabieren kann der Junge auch nicht. Das sagte ich ihm dann auch bei unserem nächsten Treffen. »Nee«, sagte Stefan dann und kratzte sich am Kopf, »anders, Tante Renate.« Ich sah ihm genau an, was er dachte: »Wie erkläre ich der senilen Schachtel das nun wieder?«, schoss ihm durch den Kopf, da bin ich ganz sicher. Ich kenne doch Stefan! Wenn der so guckt, dann sieht er aus wie Otto, was mein erster Mann und sein Onkel war. Den hatte ich auch gut ins Geschirr genommen und ihn dazu gebracht, dass er genau überlegte, bevor er mir Antwort gab. Wissen Se, nach ein paar Jahren Ehe muss ein Mann einer Frau nicht mehr sagen, was er denkt. Erstens weiß sie das sowieso, und zweitens übernimmt sie das meist gleich für ihn mit, da tut es gar nicht not, sich zu äußern. Jedenfalls sieht Stefan immer aus wie Otto, wenn er nachdenkt. So um die Augen hat er sowieso große Ähnlichkeit, den Zinken hat er auch aus der Linie der Zangebachs, und wenn er dann die Lippen so zusammenpresst … ich sage Ihnen, er sieht aus wie dem Otto aus dem Gesicht geschnitten!

»Ein Tä-blett, Tante Renate. Kein Tablett«, sprach er.

Na, das kannte ich! So was hat Hilde Knoffinger auch. Es ist wie Händi, nur größer. Die Hilde kann nicht mehr so gut gucken und hat auch ungeschickte, tapsige Finger. Bei der ist auch nie richtig sauber gemacht. Da sehen Se im Flur schon den Staub zwischen den Streben vom Geländer, da kommt die nicht hin mit ihren speckigen Griffeln. Aber das war schon immer so, das hat nichts mit dem Alter zu tun. Wie dem auch sei, es muss ja jeder selbst wissen, ob er in einer verdreckten Höhle hausen will. Für mich ist Hilde kein Umgang! Hilde hat jedenfalls so ein »Täblett«. Damit kann sie das Gleiche machen wie ich mit dem Scheibchentelefon, es hat die gleichen Äppsen, und sie kann im Interweb gucken. Nur telefonieren kann sie nicht, aber dafür Zeitung lesen. Denn ihr Täblett macht alles so groß, dass sie es sogar ohne Brille sehen kann.

Nu musste man ja noch wissen, ob die überhaupt Interweb hatten auf dem Zeltplatz! Da hat man ja schon die dollsten Sachen erlebt, wissen Se, wie ich seinerzeit zur Testamentseröffnung von Wilhelms Bruder nach hinter Chemnitz musste und da im Hotel geschlafen habe, da hieß es: »Ja, Interweb ist so eine Sache, Frau Bergmann. Wenn Sie was Wichtiges nachgucken wollen, machen Sie es mal gleich. Wenn heute Abend alle zu Hause sind und das halbe Dorf beim Netzfix zu gucken versucht, dann ruckelt es.« Aber dafür hätten se mir umsonst ein Fax weggeschickt, falls was Dringendes gewesen wäre, und im Fernsehen waren sogar sechs Sender. Da konnte man nicht meckern. Auch bei Kirsten in Brunsköngel ist es schlecht in dem Onlein. Wenn man da telefonieren will oder was bei Interweb nachlesen, muss man raus vors Dorf zur alten Eiche. Früher war es die Friedenseiche, aber mittlerweile nennen die Leute sie nur noch die Händieiche. (Da muss man sehr aufpassen, dass einem beim Tippen nicht ein L dazwischenrutscht … aber ich habe genau nachgeguckt, es ist richtig.) Man konnte nicht so ohne Weiteres davon ausgehen, dass sie da Onlein haben auf dem flachen Land. Aber das flutschte eins a! Die hatten extra einen Masten hier hingebaut, auf den alle sehr stolz waren. Günter Habicht sagte, ohne Interweb hätte er den Zeltplatz gleich dichtmachen können, das wäre heutzutage ein Muss. Im nahe gelegenen Dorf hatten sie keinen Empfang, da stritt sich die Gemeinde seit Jahren mit dem Landrat und der Telepost, wer das bezahlt und ob es sich überhaupt lohnt, aber auf dem Platz konnte man telefonieren und auch Onlein machen.

Der Stefan regelte das dann mit dem Bengel vom *Spandauer Boten*, dass ich für den Urlaub ein Digitalabo kriegen würde, ohne Aufpreis und ohne dass was abgebucht wurde. Das bedeutete, dass die mir die Zeitung nicht unnütz in Spandau in den Kasten stopften, sondern ich könnte sie auf dem Täblett lesen. Na, das war eine feine Sache, sage ich Ihnen! Man muss nicht auf den Zusteller lauern, der manche Tage erst nach fünf am Morgen kommt (und das, obwohl ich mich ob der Bummelei schon telefonisch beschwert habe!). Die Zeitung ist auch nicht eingerissen am Rand, weil sie lieblos in den Kasten gequetscht wird, und bei Regen müssen Se auch nicht erst die Gazette auf dem Heizkörper trocknen. Nee, wenn ich die Augen aufschlug, leuchtete da schon eine

Meldung auf dem Täblett, dass die Zeitung da wäre und ich sie lesen könne.

Hihi, ich sage Ihnen, ich kam mir vor wie so ein lotteriges jungsches Ding, ich lag des Morgens im Bett und las schon die Zeitung. Na, aber immerhin war Urlaub, und da darf auch eine Renate Bergmann mal alle fünfe gerade sein lassen. Was hatte ich denn zu versorgen? Im Gegenteil, so störte ich niemanden. In gewisser Weise war ich ja Gast bei Gläsers, und da will man nicht schon im Morgengrauen rumpoltern und Krach machen, wenn die noch schlafen. Kurt ist ja auch beizeiten wach und muss dann austreten, wenn er die ersten Vögel zwitschern hört, aber Ilse ist von ihren Tabletten her so eingestellt, dass sie gern mal bis gegen sechs schläft. Bei mir ist das so drin, ich bin diese Aufstehzeit gewohnt. Ich bin dann einfach munter. Gott sei Dank werde ich wach, muss man sagen, denn dann meldet sich auch die Blase, und da ist es nun wirklich besser, wenn man wach ist. So schlug ich gegen fünf die Augen auf, setzte mich auf im Bett, richtete die Frisur und sortierte die Knochen. Man merkte die fremde Matratze ja doch im Rücken! Ich zog mir den Morgenmantel über, schnappte meinen Kulturbeutel – alles leise, selbstverständlich! – und machte mich auf zu den Toiletten. Kurt schlief da manchmal noch friedlich, Ilse auch. Wenn auch nicht ganz so friedlich. Sie schnarchte. Das war ein gutes Zeichen, sie war also über die Nacht gekommen, und ich musste nicht mit einem kleinen Spiegel unter der Nase testen, ob sie noch lebt wie bei Kurt.

(Wenn er beschlägt, isser noch am Schnaufen.)

Ich hingegen bin eine, die meist schon vor Tag und Tau raus ist. So setzte ich mich nach der Morgentoilette in meinem Bett auf, nahm mir die Lesebrille und studierte die Nachrichten. Der einzige Nachteil bei der Strom-Zeitung ist, dass man den Sportteil nicht einfach mal rübergeben kann. Manchmal drängelte Kurt, und ich musste ihm – leise, damit Ilse nicht wach wird – zuflüstern, wie die Bayern gespielt haben. Vor Ilse musste ich das Gerät gut verbergen. Ich trug es in der Handtasche bei mir, sonst hätte sie es wieder als Brettchen zum Zwiebelnschneiden genommen.

Gut an der Täblettzeitung ist, dass man mit den beiden Knöppen an der Seite ein Foto machen kann von dem, was man auf dem Bildschirm sieht. Sie ahnen ja nicht, wie praktisch das ist! Wenn ich die Traueranzeigen durchguckte und mir etwas interessant erschien, machte ich nur ein Foto und schickte es Gertrud auf ihren Whotzäpp. Da guckt die zwar nur abends drauf, aber das reicht ja auch, man muss das Händi nicht den ganzen Tag in den Fingern haben und sich zum Sklaven der Technik machen. Wissen Se, nur weil ich in der Sommerfrische war, musste Gertrud ja nicht zu Hause rumsitzen und Trübsal blasen. Gerade in der warmen Jahreszeit, wo nicht nur Zuckerkuchen gereicht wird beim Fellversaufen, sondern auch schöner Obstkuchen, konnte Gertrud doch prima … jedenfalls hatte sie eins a Erdbeerschnitten mit, als sie mich am Sonnabend nach unserem Urlaub besuchte. Sie nickte nur und murmelte »Ewald Knausopke«, da war ich im Bilde. Die Anzeige hatte ich ihr geschickt. Wir mussten nur die Sahne frisch schlagen und machten kein Aufhebens, wissen Se, Ariane hätte keinen Bissen gegessen, wenn die gewusst hätte, dass Gertrud die Obststücken auf der Trauerfeier eingetuppert hatte.

Manchmal wurde uns auf dem Platz auch langweilig, das muss ich schon so offen sagen. Da passierte den ganzen Tag lang gar nichts, und wir saßen nur friedlich in unseren Klappstühlen und erholten uns. Ich war immer vorsichtig mit dem Klappstuhl, wissen Se, Gertruds Schicksal war mir stets im Sinn. Ich wollte nicht mit einer Eisensäge befreit werden müssen! Aber auf irgendwas muss man ja sitzen, und es ging ja auch alles gut. Hupes hatten einen Korbstuhl mit. In meinen Augen war das Trumm ja sehr unpraktisch, wissen Se, es nahm so viel Platz weg und durfte nicht nass werden. Ich kann das beim besten Willen nicht verstehen, warum jemand so was mit auf den Zeltplatz schleppt. Immer wenn sich Klaus Hupe in dem Ding niederließ, knarzte es über den halben Platz. Wissen Se, am Anfang habe ich mich regelrecht erschrocken, ich wusste nie, woher das Geräusch kam! Es klang genau wie damals im Kurheim beim Herrn Gabler. Der war zur Reklamation da, weil sie sein Knie falsch eingesetzt hatten. Wenn er es anwinkelte, knarrte es wie ein altes Eisentor. Was soll man da machen? Beim Gartentor würde man WD-40 sprühen, aber das konnten se dem Herrn Gabler ja nicht ins Knie spritzen. Also haben die das auf Garantie ausgetauscht. Er musste nicht noch ein zweites Mal zuzahlen, weder im Krankenhaus noch bei der Reha. Eine Zeit lang dachte ich immer, der olle Gabler geht über den Platz spazieren, bis ich das mitkriegte, dass es der Korbstuhl von Herrn Hupe war, der da knarzte.

Das Spannendste an solch ruhigen Tagen war dann, zu beobachten, wie oft Frau Hupe aus ihrer Hängematte fiel. Sie war nämlich nicht sehr geschickt darin, einfach gemütlich in dem Ding zu liegen. Sobald sie sich ein bisschen rührte, kam sie ins Schwingen, sodass sie das Unheil nicht mehr aufhalten konnte und zu Boden klatschte. Das war spaßig anzusehen. Sie konnte sich ja nicht wehtun, sie hing so weit durch mit ihrer Matte, dass sie nur ein paar Handbreit über dem Boden baumelte. Kaum hangelte sie nach ihrem Sekt, kam der Körper in Schwung, die Hupe zappelte noch kurz wie so ein Karpfen, den man auf Land setzt, und plumps! – lag se auch schon im grünen Gras.

Wissen Se, wir drei sind eben keine Ruheständler, sondern Rentner. Das ist ein Unterschied! Ruheständler lungern vor dem Fernseher rum, und Rentner, na, Rentner haben niemals Zeit. Die sind ständig unterwegs und immer aktiv. Bei uns in Spandau steht jeden Tag was auf dem Kalender. Mal muss die blaue Tonne rausgestellt werden, mal ist Friseur, dann Fußpflege, Wassergymnastik, Computernachmittag im Rentnerverein, und wenn man denkt: »Heute ist mal nichts auf dem Plan, Mensch, heute legst du mal die Füße hoch, Renate, und guckst Frau Doktor Heide und dem Lichter zu, wie sie Omas Klunkern verhökern«, na, dann ruft Inge an oder Gertrud, und es geht auf einen Geburtstag, oder der Witwenclub macht einen Spaziergang. Bei Kurt ist das ähnlich, der hat seinen Männerchor und die Karnickel. Die brauchen jeden Tag Grünes und müssen auch dauernd ausgemistet werden. Na, dazu haben Gläsers den Garten, und niemandem, der selber Beete hat, muss ich erzählen, dass man da IMMER zu tun hat. Wenn nichts wächst – das Unkraut wächst. Na, und Ilse hat ihren Haushalt. Wenn man ein Haus hat statt einer kleinen Wohnung, ist ja noch mal so viel in Schuss zu halten.

Da können Se sich ja denken, dass uns im Urlaub doch

recht schnell langweilig wird. Wissen Sie, wenn man es gewohnt ist, aktiv im Leben zu stehen, ist man mit Zeitunglesen, Mückenerschlagen und In-der-Sonne-Sitzen nicht ausgelastet. Ilse und ich packten bald nach dem Frühstück unsere Teller, Tassen und das Besteck in den Abwaschkorb – ja, als Camper hat man da extra so eine Art Einkaufskorb aus Plaste, in den man sein schmutziges Geschirr stellt – und machten rüber zum Waschhaus. Neben den Duschen und den ... den Örtlichkeiten war die Abwaschspüle. Eine ganze Reihe von Waschbecken, in denen alle Zelter und Camper ihren Abwasch erledigen konnten. Man sucht sich ein eigenes Becken aus und bringt auch sein eigenes Fit mit, aber ... es war nicht wie zu Hause. Ilse und ich sind es gewohnt, dass richtig abgewaschen wird, mit viel Schaum und schön heiß. Hier gab es keinen Stöpsel, man sollte seinen Kram da unter einem dürren Strahl abspülen mit einer Bürste. Also, damit waren wir nicht recht glücklich. Kurt maß das aus ...

Moment! Sagt man das so? Messen – maß – gemessen. Oder misste? Ach, warten Se, ich sage es anders:

Kurt hat es ausgemessen, was für einen Stöpsel wir brauchten, und wir haben im Baumarkt in der Kreisstadt, die gar nicht weit weg war, einen gekauft. Es waren mit dem Bus nur zwanzig Minuten zu fahren. Der Bus kam allerdings nicht, wie wir es von Spandau gewöhnt sind, alle zehn Minuten, sondern nur einer am Vormittag und einer am frühen Nachmittag. Da sind wir ganz schön verwöhnt! Die Verlockung war groß, den Zündschlüssel rauszurücken, aber ich hatte es Stefan und auch Kirsten versprochen, dass Kurt nicht fahren darf, und das hielt ich auch ein. Vorerst jedenfalls, warten Se es nur ab ...

Das Geld für den Stöpsel war nicht zum Fenster rausgeschmissen, das kann man wirklich nicht sagen. Erst mal kostet der kein Eckhaus, und außerdem kann man den für zu Hause auch immer gut in Reserve haben. Wie schnell verbummelt man so was! Ich habe schon mal einen mit den Kartoffelschalen im Zeitungspapier weggeschmissen, das muss 1993 gewesen sein. Natürlich habe ich noch hinterhertelefoniert, aber die von der Müllabfuhr sagten, sie könnten da nicht nachgucken und ihn für mich raussuchen. Na ja. Das muss man verstehen, die haben auch ihr Tun. Jedenfalls waren wir mit unserem Privatstöpsel nun schon gut ausgerüstet, und als Kurt auf die Idee kam, mit dem Wasserkocher Heißes zum Abwaschen zu machen, na, da bekam er von Ilse ein Extralob und ein kleines Küsschen auf die Nasenspitze. Direkt an der Spülzeile hatten die natürlich keine Steckdosen, aber im Waschhaus, wo die Männer sich rasierten und die Frauen sich föhnten, da gab es Strom. Früher mussten wir auch mit dem Tauchsieder Heißwasser kochen, ich bitte Sie, wir wissen uns doch zu helfen! Und so kochte uns Kurt zwei Liter Heißes, da ließen wir dann Lauwarmes mit dünnem Strahl zu, und zusammen mit ein paar Spritzern Spüli hatten wir dann richtiges Abwaschwasser, mit dem man wenigstens alles sauber bekam. Man fühlt sich ja doch wohler, wenn man weiß, dass das Geschirr anständig ausgewaschen ist und nicht nur so ein bisschen lauwarm abgespült. Wie schnell holt man sich Keime und muss rennen!

Dem Habicht gefiel das auch wieder nicht, der lungerte immer um uns rum, wenn wir beim Abwaschen waren. Der hatte da gar nichts zu tun im Grunde genommen, aber er tat so, als müsste er ausgerechnet dann nach dem Rechten sehen oder die Beleuchtung kontrollieren, wenn Ilse und ich abwuschen. Einmal knurrte er, wir sollten nicht so doll plempern beim Abwaschen. Als ob Ilse plempern würde! Spricht man so mit seiner alten Lehrerin? Sie hatte den Tag Spüldienst, ich trocknete ab. Ich meinte zu ihr, sie solle sich nicht provozieren lassen von dem ollen Rochen. Den Gefallen taten wir ihm nicht. Wir ließen uns nichts zuschulden kommen! Wir wischten das Becken immer aus, wenn wir fertig waren mit Spülen, und Ilse polierte sogar die Armatur mit dem Geschirrtrockentuch. Bei uns konnte der nichts meckern. In der Platzordnung stand kein Wort davon, dass eigene Stöpsel verboten sind. Wenn man da mal guckte, wie das Spülbecken aussah, wenn die Saldini fertig war oder gar die Hupe! Bis auf die Fliesen war manchmal gespritzt, und um den Hahn herum waren sogar hässliche Wasserflecken. Aber so was sehen Männer ja nicht. Was meinen Se, wie der Kurt auf dem Kieker hatte! Kurt machte uns wie gesagt im Männerwaschraum Wasser heiß. Der Habicht wuselte währenddessen um Kurt herum wie so ein Rumpelstilzchen, aber außer am Kopf kratzen und nach Luft schnappen kam nichts. In der Zeltplatzverfassung stand nämlich auch nicht, dass man kein Wasser heiß machen durfte. Kurt lässt sich ja von so was ü-ber-haupt nicht stören, der trug stoisch und schnurstracks den Wasserkocher rüber zum Spülbecken. Den Habicht ignorierte der. Kurt kann so böse gucken, dass man sich nicht mehr traut, was zu sagen. Das liegt am Grauen Star, da muss er gar nichts machen. Aber das muss ja nicht jeder wissen.

Jetzt muss ich über ein Thema mit Ihnen sprechen, das gut erzogene Leute eigentlich diskret behandeln. Aber es ist ein wichtiger Punkt, und deshalb muss ich es ansprechen.

Es geht um die Toilette.

Ich habe das Waschhaus und die sanitären Einrichtungen nun schon mehrmals erwähnt, da wird es wohl Zeit, Sie etwas genauer ins Bild zu setzen. Also, passen Se auf: Man hat auf dem Campingplatz ja nun keinen eigenen Thron dabei, sondern muss auf die Gemeinschaftsanlage. Sicher, man kann im Wohnwagen, aber man muss das dann eben auch wieder selbst sauber machen. Jawoll, wir hatten eine Chemietoilette, aber … nee. Das ist wirklich nur was für den ganz, ganz großen Notfall. Ich habe gesehen, wie Klaus Hupe von nebenan das Ding sauber gemacht hat, und *das* wollten weder Ilse noch ich dem armen Kurt zumuten. Das ist wirklich eine unglaubliche Schweinerei, und auch wenn die Chemie, die da in Massen reingekippt wird, nach Veilchen riecht, das Gemisch, was zum Schluss weggebracht werden muss, tut das nicht. Vater Hupe hat jedenfalls abwechselnd laut gewürgt und geflucht. Frau Hupe war da nicht so rücksichtsvoll wie Ilse und ich und erledigte nachts jegliche Art von Geschäft auf dem hauseigenen Thron. Das kam für uns nicht infrage.

Ich bin bei dem Thema sehr, sehr eigen, müssen Se wissen. Ich gehe lieber in den Wald als auf ein unsauberes Häuschen an der Autobahn, wenn ich die Wahl habe. Aber wenn Se drei Wochen da draußen sind, dann ist es nicht weit her mit der Wahl. Es muss ja raus! Ich bin vom Wesen her so, dass ich sage: »Augen zu und durch, Renate.« So wurde ich auch erzogen, das habe ich von Mutter und von Oma Strelemann vorgelebt gekriegt. Was hilft es, zu jammern und sich zu zieren? Da findet man sich ab und engagiert sich mit den Gegebenheiten. Arrangiert sich. Jeder auf dem Platz hatte seine eigene Rolle Toilettenpapier mit. Eigenes Toilettenpapier ist ja ein Stück Zuhause, wissen Se. Ich kaufe seit geraumer Zeit Toilettenpapier nicht mehr selbst, sondern werde von Kurt mitversorgt. Passen Se auf, das muss ich Ihnen erzählen, wie das kam:

Kurt hat gerade so eine Schnäppchenphase. Wissen Se, es gibt ja nur knapp Rente. Machen Se sich da nichts vor und rechnen Se nicht mit Reichtümern, wenn Sie eines Tages den Bescheid von der Kasse kriegen. Die halten uns Alte immer knapp, und kurz vor den Wahlen blubbern die Politiker ein Geschwurbel, dass man das Alter und die Lebensleistung doch achten müsse und dass es nun ein oder zwei Prozent mehr gebe. Dafür soll man dankbar sein und auch weiter brav das Kreuzchen bei denen machen, die das so nett verkünden, und zwar in einem Tonfall, als würden se einem eine Niere spenden. Aber was sie nicht sagen, ist, dass gleichzeitig der Bus teurer wird, das Lichtgeld steigt, und von der Miete wollen wir gar nicht reden. Ilse schreibt immer in ein kleines Notizbuch, wann Kurt wie viel Benzin tankt und was es gekostet hat. Sie schreibt auch seine Blutdruckwerte auf, allerdings in ein anderes Notizbuch. Die Frau schreibt *alles* auf, auch die Morgentemperaturen, und den Stromzähler liest sie auch ab. Irgendwann kommt die mal durcheinander mit ihren Büchleins, und Kurt kriegt seine Blutdrucktablette nach dem Benzinpreis, sage ich Ihnen! Na ja. Jedenfalls hat Kurt doll geschimpft, als er rausgekriegt hat, dass die manchmal auch schummeln mit den Preiserhöhungen. Seine Schokolade – er nascht gern mal eine Herrentafel, wissen Se – hat IMMER neunundneunzig Zents gekostet. Letzthin wunderte er sich, dass die Tafel so schnell alle war, und setzte ausnahmsweise mal die Brille auf und guckte auf das Kleingedruckte. Da stand dann so klitzeklitzeklein, dass Kurt die Brille fast wie eine Lupe halten musste, dass nur neunzig Gramm drin sind statt wie bisher immer hundert Gramm. »Diese Halunken, die lassen den Preis, damit wir nichts merken, und machen einfach zehn Gramm weniger rein in die Packung«, erzürnte er sich und diskutierte sehr lange und ungewöhnlich wortreich mit der jungschen Kassiererin. Die konnte da nun aber überhaupt nichts für, das muss man schon einsehen, auch wenn se vorne an der Front saß und sich das Gemecker der Kundschaft nun anhören musste. Kurt drängelte mich dann, dass wir im Onlein mal nachgucken und die Nummer von der Firma rauskriegen. »Wir rufen da an in deinem Interwebs, Renate, wozu hast du das Zeug schließlich auf dem Telefon!«

Wissen Se, ich sehe zu, dass ich mit Kurts Geschichten nicht in Verbindung gebracht werde, das endet meist mit Ärger. Wie damals, als das Bier angeblich trübe war und ich der Brauerei einen I-Mehl schicken musste. Die waren ganz von der Rolle und schickten als Entschuldigung sechs Flaschen im Präsentkorb. Seither rufen se aber alle paar Wochen an und fragen, ob es schmeckt, ob alles in Ordnung ist und ob Kurt zufrieden ist. Das ist mir auch unangenehm. Vor allem, weil das trübe Bier im Grunde gar kein Fehler war; Kurt hatte nur nicht richtig geguckt und Weizenbier gegriffen!

Nee, mit seinen Beschwerdegeschichten möchte ich nichts zu tun haben. Kurt rächt sich auf seine Weise an »den Verbrechern«, wie er immer sagt: Er kauft jetzt Schnäppchen, »an denen die nichts verdienen oder sogar noch drauflegen«, wie er meint. Gläsers waren schon immer sparsam, dass Se mich da nicht falsch verstehen. »Wer den Groschen nicht ehrt, ist den Taler nicht wert« – das gilt auch bei Ilse und Kurt. Wenn das Waschpulver oder der Kaffee im Angebot sind beim Kaufland, na dann stehen wir aber um sieben vor der Tür und bevorraten uns!

Nun hat Kurt aber Werksverkauf für sich entdeckt. Das müssen Se sich so vorstellen, dass die bei der Produktion ja immer mal eine kleine Panne haben und Ware mit unschönen Fehlern rausplumpst aus der Maschine. Die können se dann nicht in den Handel geben, weil die Leute beim Einkaufen ja zickig sind und Büchsen mit einer kleinen Delle stehen lassen. Deshalb verhökern sie das in großen Gebinden im Werksverkauf. Oder wie letzthin beim Fußball – da haben sie die ganzen Schipstüten mit Herrn Löw und Herrn Neuer bedruckt. Als die Mannschaft dann aber ganz früh ausgeschieden ist, wollte keiner mehr die Schips mit den Verlierern drauf essen, und nun haben sie im Fabrikverkauf den Kram auf der Resterampe feilgeboten. Eine ganze Kiste für einen Fünfer, und die Ware war ja nicht schlecht! Es grinste eben nur der Löw vom Keks. Da schlägt dann Kurts Stunde, so was kauft er auf, lagert es im Schlafstubenschrank ein und glaubt, er hat gespart. Dabei essen Gläsers gar keine Schips, und wenn man den Plunder den Enkeln mitgibt, hat man auch nicht wirklich gespart, wenn Se mich fragen. Aber gut, da gehen unsere Ansichten eben auseinander. Kurt fühlt sich gut dabei, und das ist wichtig, dass Se die Männer bei Laune halten, sonst kommen die nur auf noch verrücktere Ideen. Ich jedenfalls denke mir jedes Mal, wenn ich meine Gatten auf dem Friedhof harke: »Gut, dass ihr hier liegt und nicht palettenweise Schips kauft, Männer.«

Kurt kauft aber nicht nur Knabbergebäck, sondern auch – und deshalb erzähle ich Ihnen die ganze Geschichte – Toilettenpapier. Er hat einen Sonderposten von achttausend Rollen gekauft. Sie haben richtig gelesen. Zweimal ist er mit dem Hänger am Koyota von Spandau nach Reinickendorf gefahren und hat seinen Schatz abgeholt. Fünflagig mit Doppelflausch, man kann nicht meckern, das kratzt auch nicht bei Durchfall. Aber es ist rosa. Kurts Lokusrollen sind alle rosa und nicht richtig perforiert, das heißt, man kann es nicht blattweise abreißen, sondern muss Augenmaß walten lassen. Ich glaube, deshalb war der Posten so billich.

Wissen Se, das Problem ist ja nicht, dass es feenfarben ist und die geriffelte Abreißlinie fehlt. Das verschwindet in der Regel nach dem Gebrauch ja sowieso, und keiner sieht es. Aber achttausend Rollen müssen auch irgendwo gelagert werden! Ilse war tagelang verzweifelt. Kurts Bauschuppen und die Garage schieden aus, denn Toilettenpapier muss warm und trocken untergestellt werden, und es nützt niemandem, wenn es schimmelt. Die gute Stube von Gläsers bot sich im Grunde genommen geradezu an, da geht nur viermal im Jahr einer rein (es ist schließlich die gute Stube!). Aber da wird auch nicht geheizt, und deshalb müffelt es ganz stockig. Und da Ilse die Rollen weder in der Küche noch in der Alltagswohnstube stehen haben wollte, blieb nur das Schlafzimmer. Kurt stapelte erst auf den Kleiderschrank, was drauf ging, aber als er bis zur Decke hoch war, waren gerade hundertfünfzig Rollen verstaut. Er verschenkte auch großzügig, aber wissen Se, der Kreis der Freunde und

Bekannten, denen man vier Rollen rosa Örtchenpapier mitgeben kann, ohne dass die komisch gucken, ist auch überschaubar. Jedenfalls musste neben dem Kleiderschrank weitergestapelt werden, und damit es nicht umfällt, hat Kurt die Rollen zu einer Art Pyramide getürmt. Die kleine Lisbeth kam mit leuchtenden Augen zu Ariane geflitzt, als sie das gesehen hat: »Mama, Mama! Oma Ilse hat ein Barbie-Schloss in ihrer Schlafstube!« Hören Se mir auf.

Nun können Se sich denken, dass wir alle drei eine rosa Rolle hatten, mit der wir zum Waschhaus zum Austreten gingen. Wir waren schon nach wenigen Tagen platzbekannt als »die Alten mit dem rosa Klopapier«. Dabei gaben Ilse und ich uns alle Mühe, das Thema diskret zu behandeln. Wir hatten unseren Kulturbeutel für den Waschhausgang, in dem die Rolle vor fremden Blicken geschützt war. Wissen Se, mit Klopapier unterm Arm zum Waschhaus zu laufen, war meine Sache nicht. Ich bin von Hause aus zur Diskretion und als Dame erzogen, ich winke nicht mit Toilettenpapier. Kurt war da ja schamfrei, der lief mit seiner Rolle in der Hand zum … zur Örtlichkeit, und es störte ihn nicht mal, dass ein halber Meter von der Pracht abgewickelt hinter ihm herwehte. Er bot sogar großzügig aus seinem Sonderposten an und verkaufte Familie Hupe eine Position von zwanzig Rollen für einen Preis, der fast schon die Hälfte der Ausgaben für die zwei Paletten wieder reinspielte. Er investierte das in ein paar Extrabier am Büdchen, und Ilse ließ ihn widerspruchslos gewähren, um nicht noch mehr Aufhebens zu machen.

Jeden Morgen konnte man beobachten, wie alle aus ihren Zelten oder Wagen krochen, sich ihre Privatrolle

unter den Arm steckten und auf den Weg zum Waschhaus machten. Ilse blockiert bei dem Thema ja, und
zwar in jeder Hinsicht. Vom Kopf her macht die sich
so fertig wegen der fremden Toilette, dass sie wirklich nicht kann. Manchmal über Tage hinweg. Ich sage
Ihnen, wir waren drauf und dran, nach Berlin zurück-
zufahren, damit Ilse … sich entleeren konnte. Aber dann
habe ich Pflaumensaft besorgt und ihr diskret am Frühstückstisch zugeschoben, und sie ist dann gleich los zum
Häuschen. Es war befreiend und belastend zugleich für
sie, wissen Se, nebenan in der Kabine saß Frau Hupe
mit ihrem Jockinganzug aus kirschfarbener Kunstseide,
und Ilse hat Geräusche gehört, von denen sie noch lange
Zeit schlecht geträumt hat und die ihr den Appetit ver-
hagelten. Kurt, der in solchen Dingen ja weniger fein ist
als wir Frauen, kommentierte trocken: »Los, Ilse, jetzt iss
eine Bratwurst. Nur weil die Hupe die Tuba bläst, musst
du doch nicht hungern!«

Im Großen und Ganzen konnte man über die Sauberkeit im Waschhaus nicht klagen. Sicher, es war nicht
wie zu Hause, aber meine Erfahrung ist: Die, die sich im
Hotel oder auf einem Zeltplatz lautstark über ein Haar
in der Dusche beschweren, haben zu Hause ganz andere
Schweinereien unterm Sofa.

Wir hatten ja eine ausgesprochen warme Zeit erwischt
für unseren Urlaub, es war eine regelrechte Hitze! Man
jammert ja immer über das Wetter. Dem einen ist es zu
kalt, dem andern kann es nicht warm genug sein. Gott
sei Dank können wir das Wetter nicht selber machen,
sondern müssen es nehmen, wie es kommt. Wobei das
ja nun auch nicht mehr stimmt – wenn wir Rindfleisch
essen und Auto fahren, wird es heiß, habe ich gelernt.

Seitdem mache ich nur noch selten Rouladen, wirklich nur selten. Wenn es nächsten Sommer also wieder so eine brütende Hitze wird – an mir liegt es nicht! Beschweren Se sich nicht bei Renate Bergmann. Jedenfalls war eine erfrischende Dusche bei den Temperaturen eine tägliche Wohltat.

Ich guckte immer, dass ich beizeiten zur Dusche kam. Die beste Zeit war der späte Nachmittag. Da sah es dort noch halbwegs sauber aus, und es war nicht alles vollgeschmaddert. Man musste um die Zeit auch noch nicht um warmes Wasser bangen. Wissen Se, Wechselbäder sollen ja gesund sein, aber ich war hier auf Urlaub und nicht auf Kneippkur. Einmal, als Ilse es sich gerade auf dem Duschhocker bequem gemacht hatte und sich die Beine einseifte, hörte ich sie aufschreien bis rüber zu unserem Wohnwagen. Ihr Schrei ging durch Mark und Bein. Es war wie damals, als Horst Spackert beim Kegeln seine Hose runtergerutscht ist und Ilse seinen nackten Hintern gesehen hat. Kurt und ich sind gleich aufgesprungen und, so schnell es eben geht mit unseren Gebrechen, rüber zum Waschhaus. Ilse hatte sich schon wieder beruhigt, als wir ankamen. Es war gar kein Raubüberfall oder Ähnliches gewesen, nee! In der Nachbardusche hatte nur auch jemand das warme Wasser angedreht. Damit wurde es knapp in der Leitung, und da Ilse Pech hatte und am hinteren Ende des Warmwasserweges saß auf ihrem Höckerchen, regnete es eiskalt über die arme Frau. Sie hatte ganz blaue Lippen und zitterte wie Götterspeise. Ich spülte ihr die Seife ab, was ein Weilchen dauerte. Ilse musste sich ja immer gründlichst einseifen, anders bekam die den Sonnenschutzanstrich gar nicht runter. Nach dem Duschen gipste sie aber gleich wieder nach und trug einen frischen Anstrich auf. Da hatte die Sonne keine Schangse.

Ich half ihr sodann, sich trocken zu rubbeln. Dadurch und auch durch das kalte Wasser kam der Kreislauf aber so in Schwung, dass die Gute das Schwitzen anfing wie damals, als wir im Wechsel gewesen sind und Hitzewallungen hatten. Kurt hat sich den Habicht gegriffen und ihm die Leviten gelesen, aber der konnte da auch nichts machen. Nee, es war keine gute Zeit, spät zu duschen. Wir gingen immer schon, wenn die meisten Camper noch am See ihre blassen Bäuche in die Sonne hielten. »Wellfleischparade« nannte Kurt das immer.

Manche machten da sogar FKK, denken Se sich das nur. Nacktbaden muss doch nun wirklich nicht sein. Also, ich finde das unästhetisch. Gut, halten Se mich für verklemmt, das ist mir egal. Aber ich finde, es gibt Körperteile, die gehören nicht in der Öffentlichkeit gezeigt. Wie oft sehe ich junge Dinger durch die Stadt stolzieren in irgendwelchen Leibchen, bei denen oben alles rausquillt. Wenn man jung ist, gehört das vielleicht zur Werbung, also, zum Werben um das andere Geschlecht, dass man zeigt, was man zu bieten hat. Bitte, soll machen, wer es nötig hat. Ich habe mich immer sittsam bedeckt gehalten und bin trotzdem von vier Herren vor den Altar geführt worden, ganz ohne mich wie eine läufige Hündin zu gebärden. Und jetzt im Alter gibt es nun wahrlich keinen Grund, nackig ins Wasser zu steigen und die Fische zu erschrecken! Auf die Idee käme ich gar nicht. Nein, ich trage meinen Badeanzug, bei dem alles sittsam eingepackt ist, was keiner sehen muss.

Badeanzug ist ein gutes Stichwort. Wissen Se, von einem Vopah habe ich Ihnen ja noch gar nicht erzählt …

Etwas sehr Ärgerliches ist mir unterlaufen. *Mir*, die ich doch immer alles kontrolliere und im Grunde keine Schludrigkeiten durchgehen lasse!

Als wir angekommen sind auf dem Platz und ich mich daranmachte, meinen Koffer auszupacken, da fiel mir auf einmal Gertruds Badeanzug in die Hände. Ich habe mich so erschrocken! Gertrud ist, was Kleidung betrifft, nicht so sicher in Stil und Geschmack wie ich, müssen Se wissen. Die kombiniert schon mal ganz undamenhaft Rosa auf Lila, und so einen ähnlichen Bock hat sie auch bei ihrem Badeanzug geschossen. Im Ausverkauf hat die sich ein KNALLROTES Ding andrehen lassen. Nicht etwa ein gedecktes Resedagrün oder Basaltgrau, auch kein Bordeaux, das wäre ja noch gegangen. (Auch wenn es sich für eine Witwe nicht ziemt!) Aber nee, schreiend rot war der Badeanzug. Damit hätte man Stiere jagen können in Pamplona. Das wäre selbst denen zu dolle gewesen. Noch dazu neigt Gertrud ja zu einer gewissen … Leibesfülle. Frau Hupe hätte die Schwimmgarderobe eher gepasst als mir. Ich überlegte, wie die Verwechslung passiert sein konnte.

In der Woche vor dem Packen waren wir zur Wassergymnastik mit Fräulein Tanja marschiert, aber leider musste die Stunde ausfallen. Unsere Kursleiterin war erkrankt. Bestimmt war se heiser vom lauten »Und eins und zwei und die Arme mitnehmen«-Brüllen. Nach der Pleite mit der Schwimmnudel sind Gertrud und ich dann noch einkaufen gewesen, und irgendwie müssen wir in der Umkleide, als ich den Rock anprobiert habe, wohl unsere Turnbeutel vertauscht haben. Es ist aber auch immer eng in diesen Kabinen! Normalerweise wasche ich meinen Badeanzug nach der Wasserdisko zu Hause immer aus und hänge ihn zum Trocknen auf. Mein Anzug ist schwarz, am Bein nicht zu knapp ausgeschnitten und erregt keine Aufmerksamkeit. Wenn man mit dem Ding im gechlorten Wasser war, muss man den ausspülen und trocknen, sonst leidet die Farbe, und man hat nicht lange Freude daran. Aber da wir ja wegen der Unpässlichkeit von Fräulein Tanja nicht im kühlen Nass waren, tat das nicht not, und ich habe die Tasche mit den Badesachen in das Schränkchen unter der Flurgarderobe geschoben. So muss es geschehen sein, und nun stand ich da mit Gertruds rotem Zelt. Aber wissen Se, wir waren schließlich im Urlaub, und wenn ich sah, wie die anderen hier teilweise rumliefen, machte ich mir gleich viel weniger Gedanken. Die Hupe zum Beispiel hatte noch nicht *einmal* gewaschen und suchte jeden Tag den … die … das Oberteil mit den wenigsten Schokoladenflecken aus und zog das an. Sie legte nicht nur keinen Wert auf ihre Garderobe, sondern auch nicht auf ihre Toilette. Sie lief rum wie ein Waldschrat, die Haare waren mit einem Weckgummi zu einer Palme gebunden, sie war puterrot und pickelig. Irgendwann hatte sie sich wohl Wimperntusche aufgetragen, aber durch das Schwitzen war die nun zu schwarzgrauer Matsche verlaufen. Sie guckte mich an, und ich dachte erschrocken: »Renate, an was erinnert dich das bloß?« Da fiel es mir ein. Meng Meng! Wissen Se, wir haben doch in Berlin im Zoo jetzt Pandas, die sogar zwei entzückende Junge bekommen haben. An die Pandamutti Meng Meng musste ich denken. Carina Hupe sprühte zwei, drei »Pffft« von ihrem fürchterlichen pudrigen Parföng drüber und warf sich in ihre Hängematte. Nach zwei Wochen täglich Cremeschnittchen merkte die Hupe, dass sogar ihre Gummizughosen irgendwie spannten. Bei ordentlicher Kleidung hätte sie wohl den Gürtel ein Loch weiter stellen müssen, aber sie hatte ja Ferien und trug nur Schlumperhosen. Sie hing mittlerweile so tief mit ihrer Hängematte, dass sie beim Schaukeln schon fast auf der Grasnarbe schrappte. Herr Hupe hakte die Hängematte ein Loch weiter, und so ging es wieder. Frau Saldini ging in Gartensandalen ohne Söckchen und trug eine kurze Hose, die am Po ein Häschen aufgenäht hatte. Da musste ich mich wegen des roten Badeanzugs wirklich nicht schämen. Ilse hatte selbstredend Nähzeug mit und passte das riesige Ding mit ein paar Stichen halbwegs auf mich an. Sie nähte mich da regelrecht rein. Ich musste nur aufpassen, dass ich auf dem Weg zum See nicht so dicht an der Kuhweide vorbeilief, sonst wäre der Bulle noch in Wallung geraten.

Wir waren nur ein Mal baden, wissen Se, das reicht auch. Bis wir olle Lüht uns umgezogen und wieder trocken gerubbelt haben, ach, das ist immer eine Mühe! Und dann sitzt man da im Sand, und es krabbeln einen die Viecher an ... ich bin da kein großer Anhänger. Ich gehe mit Gertrud zum Wasserturnen mit Nudel und Musik, das reicht mir. Da machen wenigstens keine Hunde ins Wasser! Stefan hat nur laut gelacht und mich Navi genannt. Nee. Naiv hat er mich genannt. (Es ist verrückt, manchmal macht dieser Tippcomputer die Fehler, da kann ich gar nichts dafür! Entschuldigen Se bitte.) »Du turnst mit achtundzwanzig Rentnern im handwarmen Pool, aber du sorgst dich darum, dass vielleicht ein Pudel in den See pischert?«, hat er gesagt und zu Gertruds Foto auf meiner Anrichte rübergeschielt.

Das ist was ganz anderes!

Und da wird ja auch gechlort!

Es ist eben wirklich nicht meine Sache, da im Gras oder im Sand zu hocken und die Leute zu begucken, wie sie sich präsentieren. Die jungschen Dinger in ihren Bauchfreihemdchen, ich bitte Sie! Da ist eben nicht jeder für gebaut. Die Höschen saßen so tief wie sonst nur bei Maurern, das will doch keiner sehen. Auch Kurt und Ilse hatten alsbald genug von allzu freiem Blick auf Speckwülste, Pierzingringe und Gürtelrosen. So beließen wir es dabei, dass wir einmal baden gewesen sind, und konnten das auch, ohne zu schwindeln, auf die Postkarten nach Hause schreiben.

Natürlich mussten wir Ansichtskarten an die Zurückgebliebenen schreiben. Also, an die Daheimgebliebenen, meine ich. Das macht man eben so, wenn man im Urlaub ist, auch wenn die schöne Sitte nach und nach leider ausstirbt. Aber ich schreibe auch Weihnachtskarten, schon um den Empfängern ein schlechtes Gewissen zu machen, dass sie nicht daran gedacht haben.

Viele schreiben heute nicht mal mehr Dankesbriefe für Geburtstagsglückwünsche. Eine Unsitte! Das höchste der Gefühle ist noch, dass sie beim Fäßbock »Ich danke allen, die an mich gedacht und gratuliert haben« schreiben, aber ich bitte Sie, das ist doch ein Verfall der Sitten! Es gehört sich doch wohl, dass man sich mit einem persönlichen, handgeschriebenen Brief bei den Gratulanten bedankt.

Auch wenn der Empfänger der Urlaubskarten meist nur flüchtig draufguckt und sie dann an eine Wand klebt – Postkarten gehören einfach zu Ferien wie Mongscherie zum gemütlichen Fernsehabend. Deshalb muss das Motiv auch sehr schön sein, damit die Daheimgebliebenen ein bisschen neidisch werden. Nun war mit unserem Campingplatz im Nirgendwo leider kein Staat zu machen. Die Auswahl, die am Büdchen an einem klapprigen Postkartenständer in der Sonne vor sich hin gilbte, war wirklich ... übersichtlich. Aber was soll man machen, schreiben muss man! Die Leute freuen sich doch. Frau Doktor kriegt immer eine Karte, auch die Apotheke, das Altenheim, Kirsten sowieso und auch die ganze andere Verwandtschaft. Also kauften wir das gesamte Sortiment auf und bügelten die windschiefen Karten erst mal behutsam glatt. Aber bloß nicht mit Dampf! Ilse ging die Sache prackmatisch an und schlug für alle Empfänger folgenden Text vor:

Herzliche Urlaubsgrüße aus dem schönen Mecklenburg senden Ilse, Kurt und Renate. Das Wetter ist schön, das Essen schmeckt. Wir baden, unternehmen viele Wanderungen und entspannen uns. Nachmittags lassen wir es uns in der Sonne bei Kaffee und Kuchen gut gehen. Wir freuen uns auf ein baldiges Wiedersehen nach den Ferien. Tschüss, eure Urlauber.

Das war an sich schon sehr nett, es zeigte aber auch, dass Ilse keine Ahnung hatte. Man musste das schon ein bisschen anpassen, je nachdem, wem man schrieb. Bei der Doktorschen durfte von Kaffee nichts erwähnt werden, sonst meckerte die wieder wegen Blutdruck. Bei Kirsten ließ ich den Kuchen weg, wissen Se, die mit ihrem »Mama, denk an deinen Zucker!« wäre sonst nur wieder beunruhigt. Bei Wilma Kuckert hingegen schrieben wir »Schwarzwälder Kirsch mit Schlagsahne«, die sollte ruhig ein bisschen neidisch werden und wissen, dass wir es uns richtig gut gehen ließen!

Und das taten wir auch, ach, es war herrlich! Wir hatten Glück mit dem Wetter, und die Tage, an denen wir uns mit Spaziergängen, gemütlichen Plaudereien mit den Nachbarn und Kreuzworträtseln prächtig erholten, schlichen so dahin.

Es hätte alles so friedlich und geruhsam sein können ... wenn nur die kleine Hupe im Nachbarswohnmobil nicht den lieben langen Tag vor sich hin geflötet hätte! Es war nicht auszuhalten. Man muss das Musische ja unterstützen, und ich bin auch grundsätzlich ein Freund davon. Aber es hat doch auch seine Grenzen. Das Kind blies von gleich nach dem Frühstück an in die Tröte und hörte erst damit auf, wenn es die nächste Mahlzeit gab. Wir hatten alle mächtig Kopfschmerzen, das sage ich Ihnen. Allerdings gab es bei Hupes häufig was zu essen, deshalb war immer mal wieder Pause. Man konnte sie auch nicht beim Habicht anschwärzen, denn sie hielt sich an die Ruhezeiten. Andere Kinder gingen baden oder spielten Völkerball, aber Sport war im Hause Hupe – oder besser gesagt, im Caravan Hupe – ja nicht das Thema Nummer eins.

Nur am Sonnabend, wenn Bundesliga lief. Herr im Himmel, Sie können sich nicht vorstellen, was Klaus Hupe da für ein Ritual veranstaltete! Da war es dann komplett aus mit Ruhezeit und Zeltlautstärke. Wenn Bundesliga lief, dröhnte der Fernsehapparat über den ganzen Platz. Aber nicht nur bei Hupes, bei fast allen Wagen und Bungalows. Deshalb hatte das gar keinen Sinn, was zu sagen, das wurde geduldet und war von der Zelt-platzverfassung offenbar ausgenommen. Da hätte man doch gut ein weißes Laken aufspannen können und das da drauf zeigen können für alle. »Public Viewing«, wie Ilse anmerkte. Das heißt wörtlich übersetzt »öffentliche Leichenschau«, und sie findet das sehr makaber, aber so sagen die Leute eben. Schön im Wald oder so, dann hätten wir unsere Ruhe gehabt.

Während das Spiel lief, konnte man den Klaus Hupe immer mal wieder »Auauauauauauau« rufen hören, oder manchmal auch zum Saldini rüber: »Hasse gesehn, Luidschi? Den macht doch meine Oma rein!« Da winkte Ilse ihm kurz rüber und lächelte ihm zu, aber er ging gar nicht darauf ein und ließ schon das nächste »Auauau-auaua« ertönen, gefolgt von einem »Plopp«. Da hat er sich die nächste Flasche Bier aufgemacht.

Meist waren wir ja unterwegs oder spielten auch mal Karten, wenn Fußball lief. Aber dem Kartenspiel ver-weigerte ich mich auch alsbald. Gesellschaftsspiele mit Ilse machen nämlich keinen Spaß. Sie schummelt. Ilse ist eine Seele von Mensch und eine ehrenwerte Person durch und durch. Sie ist letzthin mit dem Bus zurück bis Wilmersdorf gefahren, weil die Kassiererin im Kurz-warengeschäft ihr falsch rausgegeben hatte – sie hatte ihr statt zwanzig Zents ein Fünfzig-Zents-Stück gege-ben. Aber wenn es um Gesellschaftsspiele geht, kennt Ilse keine Verwandten und beschupst einen, was das Zeug hält. Sie kann einfach nicht verlieren und bringt sogar Kinder zum Weinen. Im Seniorenverein ist sie ein gern gesehenes und geachtetes Mitglied, Ilse war sogar für den Vorstand im Gespräch. Aber beim Spielenach-mittag hat sie Hausverbot. Da darf sie sich nicht mehr blicken lassen, und wenn Se mich fragen: Der Vorfall mit Horst Kümmelberg, den sie gebissen hat, nachdem der eine Sechs gewürfelt hatte, hat sie die Wahl gekostet. Ich spiele schon seit Jahren nicht mehr mit ihr. Höchstens neue Spiele, die Ilse noch nicht kennt. Aber nach einer Runde geht es schon los, dass sie die Regeln angeblich anders verstanden hat, dass es Ausnahmen gibt und sie neulich erst in der Zeitung gelesen hat, dass man das jetzt anders spielt. Da kennt sie nix.

Kurt hingegen ist ein sehr angenehmer Spielpartner und immer für eine Partie Halma zu haben. Er spielt auch Schach. Da ist er aber so langsam, dass ich da nicht mitspiele. Der grübelt zwischen zwei Zügen vor sich hin und nimmt sich seine Zeit, also, das ist nichts für mich. Kurt ist eher der Typ für Briefschach. Kennen Se das? Da schicken sich meist ältere Herren ihren nächsten Zug mit der Briefpost zu. So eine Portion Schach dauert da manchmal JAHRE! Einmal hat Kurt mich überredet, aber gleich nachdem ich einen Bauern vorgestellt habe, ging die Grübelei schon los. Ilse und ich konnten zwischen zwei Zügen problemlos den Abwasch machen, und nachdem ich später das kleine weiße Pferdchen vor seine Dame gezogen habe, machten wir den Salat für das Abendbrot, während Kurt in seiner Grübelei einnickte. Ilse räumte das Spiel dann weg. Wir brauchten den Tisch schließlich für das Essen.

Wenn man das weiß, dass Fußball kommt, kann man sich ja so einrichten und seiner Wege gehen, wenn die Übertragung läuft. Kurt war ganz scharf darauf, mit dem Hupe mitzugucken, aber Ilse und ich machten Spaziergänge am See. Allerdings auch nicht immer, denn, wissen Se: Es läuft ja jeden Tag Fußball! Jeden

Tag auf einem anderen Sender. Früher, als mein Wilhelm noch lebte, ach, das war übersichtlich, und man wusste, was einen erwartet. Am Sonnabend wurde nachmittags im Radio übertragen, später um sechs kam dann eine Übersicht im Fernsehen, und dann war auch Ruhe. Ab und an ein Länderspiel, gut, und einmal im Jahr Europapokal. Heute hacken die das ja in Stücke, die spielen nicht mehr alle am Sonnabend. Nee. Das ist, weil das Fernsehen Geld verdienen will. Es geht am Freitag schon los, dann weiter bis Montag jeden Tag. Dann noch zweite Liga, Europaschämpien und Länderspiele alle Nase lang. Und wenn wirklich mal nichts zu übertragen ist, dann flözen sich die ollen Rochen, die schon längst ihre Fußballtacken an den Nagel gehängt haben, mit einem Bier in den Sessel und reden darüber, wie schön es früher war und dass sie da viel besseres Fußball gespielt haben. Wenn es ein wichtiges Spiel ist, zeigen se mittlerweile sogar eine gute Stunde lang, wie die Spieler in den Bus steigen, und dann überträgt ein Hubschrauber die Fahrt vom Hotel zum Stadion. Ich finde, da übertreiben die es ein bisschen, aber mich fragt ja keiner. Es ist alles eine Frage des Maßes, sage ich immer. Beim Essen wie beim Fernsehen und auch beim Korn.

Irgendwann begehrte Kurt auf. Er wollte nicht immer beim Hupe mitgucken, sondern unser eigener Fernseher sollte in Betrieb genommen werden. Es käme ein wichtiges Spiel, sagte Kurt, und sowohl Ilse als auch ich wollten ihm mal Glauben schenken. Er hatte schließlich auch Urlaub und sollte seine Freude haben. Das bedeutete, dass die Antenne und der Fernsehapparat eingestellt werden mussten.

Meinetwegen hätte es gar kein Fernsehen geben müssen die Ferien über. Es kommt doch sowieso nur selten etwas, was man anschauen möchte, und im Sommer allemal nicht. Da senden die doch nur Wiederholungen, da wird dann also der Quatsch, den man sowieso schon nicht sehen wollte, noch mal über den Äther geschickt. Na, und Nachrichten kannte ich schon vom Scheibchentäblett. Aber Sie wissen ja, wie die Männer so sind: Wenn Fußball kommt, dann sind die ganz hibbelig und müssen das sehen, selbst wenn es nur ein Probespiel ist oder dritte Liga. Und da wir in dem Wohnwagen nun auch einen Fernseher hatten, na warum sollten wir Kurt die Freude nicht gönnen? Es gab da nur ein Problem: Auf dem Fernseher kam kein Bild.

Es kam nicht mal Schnee! Wissen Se, früher gab es wenigstens Gekrissel. Dann wusste man, dass der Empfang verstellt war. Wilhelm, was mein zweiter Mann und der Vater von Kirsten war, musste rauf aufs Dach und mit der Zange ein bisschen an der Antenne drehen, und wenn er genug gedreht hatte, hörte es auf zu rauschen, und der Schnee auf dem Bildschirm wurde zu einem schönen Schwarz-Weiß-Bild. Man musste rechtzeitig brüllen, dass er aufhört zu drehen, sonst hatte sich das mit dem Bild wieder erledigt. Manchmal war es auch nur kurz weg, wenn eine Taube auf der Antenne saß, zum Beispiel. Ich weiß noch, in dem Frühjahr, in dem »Landarzt Dr. Brock« ausgestrahlt wurde, da hatten wir ein balzendes Taubenmännchen da sitzen, das kam jeden Mittwoch und fing an, auf unserer Antenne um sein Weibchen zu buhlen. Ausgerechnet, wenn »Dr. Brock« lief! Na, da habe ich Wilhelm aber mit dem Besen hochgeschickt! Es war doch zu ärgerlich. In einer Folge hat sich das Vieh genau in dem Augenblick gesetzt und Schnee gemacht, als der fesche Herr Doktor gerade vielleicht die junge Sprechstundenhilfe küssen wollte. Es dauerte über vierzig Jahre, bis ich auf DVD-Silberscheibchen die ganze Folge sehen konnte. Er hat sie dann doch nicht geküsst.

Na ja. Wo war ich? Heute macht so ein Gerät ja keinen Schnee mehr, sondern das Bild bleibt einfach schwarz. Digital heißt das. Entweder es geht, oder es geht nicht, krisselig gibt es nicht mehr. Wissen Se, ein bisschen Schnee hätten wir Kurt ja noch als schlechtes Bild unterjubeln können – er sieht doch eh nur noch zu vierzig Prozent! Aber wenn alles schwarz bleibt, merkt auch er das. Man musste also rauf auf das Dach vom Campingbus und an der Antenne drehen. Das ist ja heutzutage auch keine Antenne mehr, auf der die Schwalben – oder eben die Tauben – sitzen, sondern so eine große Schüssel. Ilse ließ gar keine Diskussion darüber zu, ob Kurt vielleicht selbst aufs Dach steigen sollte. Leiter *und* Strom, das kam gar nicht in Betracht. Sie hatte ja durch ihre Vorgeschichte als seine Lehrerin einen guten Draht zum Günter Habicht und überredete ihn zu helfen. Der Habicht machte zwar ein großes Bohei, was das nun wieder für ein Aufwand wäre, dass er eigentlich ganz andere Sachen zu tun hätte und dass es sowieso nicht seine Aufgabe wäre, aber im Grunde half er gern. Er war so einer, der nur gebeten werden wollte. Ilse hatte bei ihm sowieso einen Stein im Brett, der konnte er nichts abschlagen.

Und so kroch Günter Habicht mit der Leiter auf unseren Caravan und schimpfte munter vor sich hin. Da sind die Männer ja alle gleich: Sie würden nie zugeben, dass es nur eine Kleinigkeit ist. Sie machen immer eine Staatsaffäre aus allem. Der Habicht schimpfte, dass alles krumm angeschraubt war, dass es so ja nie funktionieren könne, und lauter so knurriges Zeug. Kurt hielt brav die Leiter und reichte Werkzeug an, wissen Se, die Aussicht auf sein Fußballspiel machte den ganz gefügig als Handlanger.

Ilse flötete: »Günter, das ist sehr nett von Ihnen. Was würden wir nur ohne Sie machen? Sie bleiben doch zum Abendbrot? Mein Mann macht den Grill an, und es gibt Kartoffelsalat. Selbst gemacht!«

Ilse nannte ihn Günter und sagte »Sie«, wissen Se, da sie ihn schon als Schüler kannte, war das die vernünftigste Anrede. Ich blieb jedoch bei »Herr Habicht«. Der wurde gleich handzahm bei der Aussicht auf Ilses Kartoffelsalat.

Er kratzte sich verlegen mit einem Schraubendreher am Hinterkopf und brubbelte: »Ach, das ist doch keine große Sache für einen Fachmann. Wenn man weiß, wie es geht, ist das ruck, zuck erledigt.«

Er fummelte noch ein bisschen mit einem Messgerät rum und stellte einen Winkel ein – ich habe es genau gesehen, es war nur ein ganz kleines Stückchen verstellt! –, und schon grölte Stadionjubel aus dem Apparat. Kurt strahlte und ließ gleich die Leiter los, was den Habicht aber nicht zu Fall brachte. Sie hätten Kurts Augen leuchten sehen sollen in dem Moment, ach, der Mann war glücklich! »Das darf aber nicht verstellt werden!«, mahnte der Habicht, und ich nickte beipflichtend. Von jetzt an musste ich wohl keine Sorge mehr haben, dass Kurt den Caravan auch nur einen Meter von der Stelle bewegte. Ich erwog kurz, das Schlüsselversteck preiszugeben – man weiß ja nie! Was, wenn ich eines Nachts … sozusagen … hinüberschlafen würde? Dann konnten die nicht mal mit dem Campingbus hier vom Platz, weil keiner das Versteck kannte! Aber wissen Se, das letzte Blutbild war prima, Frau Doktor Bürgel meinte, ich hätte die Werte einer Sechzigjährigen, wenn man mal von dem bisschen Zucker absieht. Also verwarf ich den Gedanken schnell wieder.

Günter Habicht drehte den Fernseher im Vorzelt so in Kurts Richtung, dass der vom Grill aus was sehen konnte. Darauf stießen die Männer erst mal mit einem Bier an. Kurt meinte, dass er das zu Hause in Spandau auch so haben wollte, aber Ilse machte ihm gleich klar, dass das hier Urlaub war und zu Hause Alltag. Sie durfte in Berlin ja auch nicht Rasentrecker fahren.

Auf dem Campingplatz ernähren sich die meisten Leute ja vom offenen Feuer. Es wird gegrillt, und zwar fast rund um die Uhr. Wissen Se, ich greife da auch gern mal zu, wenn es eine Wurst gibt, aber jeden Tag, also wirklich *jeden Tag*, muss ich das auch nicht haben. Erst recht nicht, wenn einem der halbe Teller mit süßer Ketschuptunke zugeplempert wird!

Ich bin kein Freund von diesem Kram. Wissen Se, was da an Zucker drin ist? Von der Schemie ganz zu schweigen. Das können Se ja schon daran sehen, dass das Zeug sich ewig hält. Da ist nie Schimmel drauf, und wenn es jahrelang im Kühlschrank steht! Gucken Se da mal hinten auf das Etikett, aber vergessen Se nicht, die Brille aufzusetzen. Die schreiben das so klein, dass man schon eher eine Lupe braucht als eine Lesebrille. Und was es da alles gibt … Ketschup ist ja kein Teufelszeug, das habe ich auch immer da. Wenn Stefan mal lange Zähne macht – die jungen Leute essen eben nicht alles, was auf den Tisch kommt –, kann man es ihm mit Tomatenmatsch noch schmackhaft machen. Wobei »schmackhaft« für meine Begriffe da nicht das richtige Wort ist. Ansonsten habe ich Mostrich in der Speisekammer, den brauche ich für Eisbein, für Wiener Würstchen und zum Rouladenwickeln. Der schmeckt auch prima zu Gegrilltem! Wissen Se, ich will doch das Gemüse oder das Fleisch schmecken und nicht die süße schlabberige Pampe. Aber die jungen Leute sind für so was empfänglicher. Sie ahnen ja nicht, was bei Ariane und Stefan alles im Kühlschrank steht. Wenn ich da mal durchwische (was Ariane gar nicht recht ist, aber hin und wieder wirklich nottut! Ich komme dann heimlich, wenn die auf Arbeit sind), komme ich aus dem Staunen gar nicht raus. Jedes Mal, wenn die den Rost anfeuern und vorher Grillgut einkaufen, nehmen die auch noch zwei Flaschen Soße mit. Es ist kaum zu glauben, was es da alles an Sorten gibt: Ketschup mit Pfefferkörnern drin, welches mit Paprikastückchen und welches mit Curry. Dann weiße Soße, die fürchterlich nach Knoblauch stinkt, beinah wie die Dönnersoße von der Berber. Aber damit nicht genug: Es gibt auch noch so rosafarbene Flaschen mit Engelchen und Teufelchen drauf. Jede Saison gibt es was Neues, letztes Jahr musste es unbedingt alles mit Raucharoma sein. *Das* essen se, aber wehe, die Wurst ist ein bisschen dunkel, da wird dann gleich »Krebs!« geschrien. Meist wird von der süßen Tunke nur einmal probiert, und dann bleibt der Kram stehen und verkleistert am Flaschenhals. Das ist nicht sehr appetitlich! Wenn im Herbst die Grillsaison vorbei ist, räumt Ariane auf und schmeißt den Kram weg. Da haben sich dann zehn oder fünfzehn Sorten angesammelt, überlegen Se mal, das ist doch in der Summe eine Menge Geld! Da isse ganz konsequent, die Ariane, das fliegt alles weg. Sie hebt nur den Ketschup auf und schimpft mit Stefan, dass nächstes Jahr bloß nicht wieder so viele Sorten von dem Zeug gekauft werden. Über Winter ist dann Ordnung im Kühlschrank, aber sobald die Sonne wieder das erste Mal höher steht und Stefan an der Nase kitzelt, fährt der los, holt ein paar Paprikaspieße, Würstchen und Steaks und bringt wieder zwei neue Flaschen Bombensoße (oder Bombäi?) oder Madagaskartunke oder so einen Blödsinn mit. Das wird dann gekostet, für »ganz in Ordnung« befunden – jedenfalls nicht so widerlich, dass man es gleich hinfortschmeißen würde – und dann steht der Plunder wieder im Kühlschrank, bis Ariane ihn im Herbst in die Tonne donnert. Das ist der Kreislauf der Grillsaison im Hause Winkler.

Nee, ich bin kein Freund von dem süßen Kram. Sie wissen ja, ich habe ein bisschen Zucker und muss darauf gucken, was ich esse. Ich sündige lieber mal mit einem Stückchen Schwarzwälder Kirschtorte als mit verstecktem Zucker. Bei einem Stück Kuchen kriege ich den Süßkram wenigstens nicht heimlich untergejubelt!

Lieber sind mir da noch die Schattnies von Frau Meiser. Die kocht nicht regelmäßig, bei ihr ist Erasco der Küchenscheff. Meist macht die nur Büchsen auf oder holt sich was vom Imbiss, aber Schattnie kocht sie mit Leidenschaft. Früher habe ich das weiterverschenkt, weil ich aus ihrer Küche nichts essen wollte, aber als ich in ihrem Urlaub den Schlüssel bekam und die Blumen gegossen habe, konnte ich mich davon überzeugen, dass sie eine überraschend reinliche Person ist. Die hatte sogar frisches Schrankpapier in den Schubladen, und die Sektgläser waren tadellos poliert. Wen wundert's, die sind ja auch fast täglich in Gebrauch. Na ja. Jedenfalls kriege ich immer mal wieder ein Töpfchen von ihrer Paste, die sie fabriziert. Das schmeckt im Grunde immer gleich: süß und feurig. Es ist eine Art Obsttunke, die sie mit Schilli kocht. Es unterscheidet sich nur in der Art des Obsts und in der Schärfe. Man muss da sehr vorsichtig kosten, wissen Se, so was brennt ja zweimal. Einmal im Mund, wenn man probiert, und am Tag später wird man noch mal daran erinnert.

Seit Frau Meiser mitgekriegt hat, dass meine Kirsten mir so einen Thermalmischer geschenkt hat, so eine sündhaft teure Rührmaschine, wissen Se, und dass ich die gar nicht nutze, borgt sie die öfters aus. Ich gebe gern, es beruhigt mein Gewissen, wenn das Gerät auch genutzt wird und nicht nur im Schrank vor sich hin lümmelt und auf seinen Einsatz wartet. So kann ich Kirsten auch immer wieder bestätigen, dass es genutzt wird. Das fragt sie immer wieder ab, wenn sie anruft. Ich muss ja auch nicht lügen, denn von wem es benutzt wird, fragt sie nicht. Frau Meiser ist ganz begeistert. Ich will es ihr noch nicht verraten, aber wenn ich mal … gehen muss, möchte ich, dass sie den Thermosmixer erbt. Da ist er in guten Händen. Ich sage ihr das aber jetzt noch nicht, wissen Se, die schielt eh schon jedes Mal zu meinem Fenster hoch, wenn sie den Doktor oder den Leichenwagen in unserer Straße sieht, weil sie meine Wohnung für ihren Bengel, den Jeson-Mäddocks, haben will. Nee, die Freude wird dereinst nur umso größer sein, wenn sie es erst bei der Testamentseröffnung erfährt. Hoffentlich hat Kirsten nichts dagegen, denke ich manchmal. Aber die kriegt die Sammeltassen von Oma Strelemann, die soll sich mal nicht beschweren!

Kurt half mit Vorliebe, wenn irgendwo Feuer zu machen war. Er witterte das schon, wenn sich nur jemand mit dem Gedanken trug! Stellte irgendeiner den Grill vor das Zelt, war Kurt zur Stelle und bot Hilfe an. Er zündelt ja für sein Leben gern und hält sich auch für einen Fachmann, was nicht jeder so sieht. Zu Hause darf er das nur unter Aufsicht. Ilse passt da sehr auf, wissen Se, wenn Sie einmal in der *Abendschau* gewesen wären, weil die Stichflamme vom Grill noch drei Straßen weiter zu sehen war, dann wären Sie auch achtsam. Ich will ihm aber nicht unrecht tun und alte Geschichten wieder aufwärmen und ihm Vorhaltungen machen. Das eine Mal! Die Augenbrauen sind ihm auch wieder schön nachgewachsen, die Feuerwehr war nach ein paar Minuten wieder weg, und der Bericht im Fernsehen war nur ganz kurz. Trotzdem bleibt so was an einem hängen. Die Nachbarn reden doch! In unserem Alter muss man wirklich aufpassen. Da muss nur einmal der Milchreis anbrennen, schon heißt es: »Die Oma ist wirr im Kopp«, und die schicken einen von der Fürsorge, und man wird entmündigt oder gar abgeholt und ins Heim gesteckt. Da kriegt man dann Tabletten, die einen wie in Watte gelegt blöde grinsen lassen und ruhigstellen. Obacht! Kurt würde es in einem Altersheim gar nicht aushalten, da würde der eingehen wie eine Primel, die zu doll gegossen wird. Nee, da wacht Ilse genau drüber, dass er nicht wieder was anstellt. Hier auf dem Campingplatz war sie aber milder gestimmt. Schließlich hatten wir Urlaub, und da sollte auch der Kurt seine Freude haben. Ilse konnte ihn schließlich nicht an die Leine legen! Hier zündelte er ja

auch nicht selbst, sondern half nur den anderen Grill-
experten. Dafür waren die ganz allein verantwortlich,
wenn sie ihn an die Flammen ließen.

Ja, was ist schon groß los auf so einem Zeltplatz, frage ich Sie? Wenn es was Neues gibt, dann erfährt man
es am Büdchen. Kurt knurrte zwar, das Bier sei zu teuer
da – als Gläsers das letzte Mal zelten waren, kam es auf
vierzig Pfennige, und jetzt kostete es einen Euro fünfzig!
Da darf man gar nicht rechnen, wie viele Prozente das
sind. Es ist ja auch egal, das Bier hatte damals wie heute
fünf Prozent, und Gläsers haben eine gute Renate.

Rente.

Hihi, jetzt habe ich schon wieder zu schnell getippt
und einen Fehler gemacht. Gläsers haben eine gute Rente, und schließlich war Urlaub, da gönnt man sich auch
mal was. Auch Ilse war großzügig und erlaubte Kurt zwei
Bier jeden Tag. Er bekam seine drei Euro Taschengeld
nach dem Frühstück ausgezahlt und durfte selbst ein-
teilen, wann er die beiden Biere trinken wollte. Ja, so
locker lässt Ilse die Leine sonst nicht!

Er steckte das Geld ein und meldete sich mit »Frauen,
ich mache los. Expedition ins Bierreich!« ab und trottete
Richtung Kiosk.

»Aber trink nicht aus der Flasche, Kurt!«, rief Ilse ihm
immer noch nach, »lass dir ein Glas geben. Wir wollen
doch nicht als gewöhnlich gelten!«

Wissen Se, über sechzig Jahre sind Gläsers nun schon
verehelicht, und bis heute hat Ilse es noch nicht aufgege-
ben, Kurt zum Glas zu erziehen. Dabei trinkt er IMMER
aus der Flasche! Männer sind eben so. Damals, als Kurt
aus dem Pflaumenbaum geplumpst war, beide Hände in
Gips hatte und nach drei Wochen ohne Bier so hilflos

danach gierte, dass es ihm egal war, da hat Ilse ihm den »Hopfensmufie«, wie er immer sagt, in die Schnabeltasse gefüllt und ihn schlückchenweise trinken lassen. Das war ein Triumph für Ilse, sage ich Ihnen. Gestrahlt hat sie über das ganze Gesicht und uns beim Damenkränzchen ganz stolz berichtet: »Mein Mann würde Bier *nie* aus einer Flasche trinken.« Ja, dass er nicht anders konnte, das hat se nicht gesagt, unsere Ilse.

Im Büdchen bei Hannelore konnte man wie gesagt die nötigsten Dinge kaufen. Brötchen und Brot, Milch, Zeitungen, Rätselhefte und Flachmänner und so was, Sie kennen das bestimmt. Und auch Kondome. Es gab auch Zigaretten, und die Hannelore, die da hinter der Luke stand, hatte auch immer eine Kanne Filterkaffee fertig stehen. Was leider fehlte, war eine kleine Apotheke. Wissen Se, es waren so viele olle Leute da, die dauercampten, und die mussten alle paar Wochen nach Hause zum Doktor, um sich neue Pillen für die Galle oder den Zucker aufschreiben zu lassen. Das ist doch Quatsch! Aber es durfte wohl nicht sein, von Gesetzes wegen her.

Ilse sprach von Hannelore immer als »die junge Frau«. Sie war allerdings eine vollbusige Endfünfzigerin mit rauchiger Stimme. Ja, im Alter verschieben sich die Perspektiven, was man unter »jung« versteht, sage ich Ihnen. Jung ist da was anderes. Man spricht bei einer Dame ja nicht über das Alter, aber … ganz taufrisch war die nicht mehr. Die ist schon ein paar Runden mitgefahren, wenn die Erde sich um sich selbst dreht. An die sechzig, schätzte ich. Vielleicht auch sechzig b oder sechzig c, aber bleiben wir bei Endfünfzigerin, es kommt ja auf ein paar Lenze nicht an. Bei Hannelore gab es auch Eis und heiße Bockwurst. Es kamen ja früher oder später alle hin, meist sogar mehrmals am Tag. Manche, weil sie schluderig gepackt hatten und entweder die Zahnpasta fehlte oder sie keine Kopfwäsche mehr hatten, und die anderen, weil sie sich eine Zeitung holen wollten oder ihnen einfach langweilig war. Ab und an hielten auch Fahrradtouristen an und genehmigten sich am Büdchen ein gespritztes Bier zur Erfrischung. Ach, das war immer schön! Fahrradfahrer sind nette Menschen, und mit denen kommt man rasch in Kontakt. Die erzählten einem auch mal, was draußen in der Welt so los war. Wir waren ja hier doch ein bisschen eingekesselt und kriegten nicht viel mit. Einigen Männern ging es genauso wie Kurt: Die tranken da ihr Bier, ließen den lieben Gott einen guten Mann sein und genossen es, mal von der Gemahlin weg zu sein. Man hat ja als Frau gerade vormittags sein Tun, auch ein Campingwagen und ein Vorzelt müssen durchgefegt und aufgeräumt werden! Wie sieht das denn aus, wenn Besuch kommt, und da liegt in der Sitzecke noch das Schlafzeug?

Sogar bei Hupes wurde nach dem Frühstück aufgeräumt. Das sah dann so aus, dass sich Frau Hupe in die Hängematte legte und Anweisungen rief, was die kleine Säwännah und der Vater tun sollten.

Na ja.

Wo war ich?

Ach, am Kiosk. Dort erfuhr Kurt immer, was so los war auf dem Platz, und kam mit den Leuten ins Gespräch. Er fragte auch jeden, ob er wohl den Grill anfeuert am Abend und ob er vielleicht Hilfe braucht. Im Grunde war das ja Blödsinn, wissen Se, das kriegt man doch mit! Sobald irgendwo die Holzkohle glüht, riecht man das, wenn man so eng aufeinander wohnt. Das ist wie im Plattenbau im Grunde, nur mit Rasen. Aber so wusste Kurt es oft schon mittags und freute sich den Nachmittag über darauf.

Der Deutsche ist ja an sich so konzipiert, dass er sofort Fleisch auf offenem Feuer röstet, sobald er die Sonne sieht. Dann wird der Grill aus dem Keller geholt, mit der Drahtbürste geschrubbt und angefeuert. Bratwurst und bunte Spieße, Steaks und Bauchspeck werden auf den Rost geworfen, und los geht die Völlerei. Dazu schöne Salate, ach, herrlich! Ich sage es Ihnen ganz offen, ich bin gar nicht so der große Fleischesser. Nicht erst, seit wir Klima haben, das war schon immer so. Eine Wurst oder ein kleines Broilerstückchen, das langt mir. Wenn es Kartoffelsalat gibt oder schönes geröstetes Brot mit feiner Kräuterbutter, dazu ein bunter Salat mit Gemüse aus dem Garten, dann bin ich selig. Mehr als essen kann man ja nicht, und bevor man mit vollgestopftem Magen abends nicht in den Schlaf kommt, mäßige ich mich lieber.

Wenn Kurt grillt, gibt es meist Probleme. Nicht, dass es zu dolle brennt, nee, oft haben wir eher das Problem, dass er das Feuer gar nicht richtig zum Lodern kriegt. Da ist dann wahlweise der Wind schuld oder die Sonne, die drückt. Kurt ist da sehr erfinderisch in seinen Ausreden. Ab und an taugt auch die billige Kohle nichts. Neulich kam er damit an, dass die Holzkohle schon zu alt gewesen sein soll. Auf so einen Quatsch muss man erst mal kommen. Hat man schon je gehört, dass die Briketts im Keller zu alt waren und deshalb das Feuer im Ofen ausgeht? Nee, man darf Kurt da nicht alles glauben. Er steht mit einem Blasebalg vor dem Grill und pustet, bis die Glut aufflammt. Die Holzkohle im Grill muss ja erst richtig runtergebrannt sein und weißglühen, bevor das Fleisch und die Würstchen draufkommen. Kurt föhnte und pustete da am laufenden Band, und wenn Ilse den Kartoffelsalat schon wieder in den Kühlschrank brachte (eiskalt ist er nicht gesund, dann steht er einem vor dem Magen, aber wenn er zu lange in der Sonne schwitzt, weil Kurt mit dem Grill nicht in die Strümpfe kommt, schlägt am Ende noch die Majonäse um und wird sauer!), wedelte er mit einer ollen Pappe rum. Da war es ganz gut, dass der Salat wieder weg war, was meinen Se, wie wir wischen und fegen mussten, bis wir die Ascheflocken weghatten. Das zog sich so in die Länge, dass ich schon tüchtig beim Brot und dem Salat zugelangt hatte, als Kurt endlich mit den Grillwürstchen an die Tafel kam. Die waren außen sehr … sehr … sagen wir mal, von Röstaromen ummantelt. Man kann das Verkohlte aber wegschneiden, wissen Se, wir haben uns da nicht so piepsig. Innen waren die Würstchen noch ganz kalt. Kurt hatte den Grill viel zu heiß gemacht! Fleisch muss gegrillt werden und nicht verhüttet. Männer haben da eben kein Gefühl für.

Ja, unser Kurt benahm sich schon nach wenigen Tagen auf dem Platz wie ein Dauercamper: Er saß zwischen den Mahlzeiten vor dem Vorzelt im Gartenstuhl und lauerte, dass Neuankömmlinge auf den Platz fahren. Denen drängelte er dann seine Hilfe beim Zeltaufbau auf. Nun kennen Se ja Kurt auch schon ein bisschen, nich wahr? Der Mann ist siebenundachtzig, und Sie wissen, wie ältere Herren in dem Alter so sind. Um die Hüften hatte Kurt etwas ausgelegt, dafür sind die Beine so stöckerig. Er neigt eh schon zur Blässe, aber durch Ilses Anstrich mit dieser zähen Sonnenmilch wirkte Kurt immer etwas … sagen wir abgelebt in seiner kurzen schilffarbenen Hose, die er sich bis unter die Brust hochzog. Er hatte mit Mühe und nur dank der Hilfe von Stefan und Günter Habicht unser Vorzelt aufgebaut, aber den Neuankömmlingen gegenüber wies er sich als großer Zeltplatzexperte aus und bot großzügig seine Hilfe an. Er gab auch mächtig an, wen er alles kennt. Da ist unser Kurt Experte. Er behauptet immer, dass er Prominente kennt. Manchmal redet er den Leuten auch ein, dass sie berühmt sind, ach, man möchte da im Boden versinken vor Scham! Auch dem jungen Familienvater, der mit Mühen die schwangere Frau und ein quengelndes Kind bändigen konnte, während er das Gestänge seines Zeltes zusammenfriemelte, ging Kurt zur Hand. Das war nett gemeint, aber … na ja. »Dett passt alles jar nich, dett is alles verzogen!«, schimpfte Kurt und bog entschlossen das Gestänge so, wie es seiner Meinung nach gehörte. Er tat das mit einer solchen Selbstsicherheit, dass der junge Herr Pascal gar nicht auf die Idee gekommen wäre, Kurt wäre nicht vom Fach. Währenddessen gab Kurt zum Besten, dass er im Chor singt (was so weit stimmt) und dass er letztes Jahr beim »Adventsfest der brennenden Lichter« beim Silbereisen gewesen sei (was totaler Blödsinn war) und dass in seinem Chor auch die musikalischen Wurzeln von Rex Gildo lagen (was ebenfalls Quatsch war). Die jungen Leute waren auch nicht wirklich beeindruckt, denn sie guckten weder den Silbereisen, noch kannten sie Rex Gildo, und als Kurt »Hossa! Hossa!« rief, damit Herr Pascal vielleicht doch noch draufkommt, ging Günter Habicht dazwischen und erinnerte an Paragraf acht der Platzordnung: »Es wird nicht gesungen!«

Als wir schon bald die halbe Urlaubszeit rumhatten, guckten wir uns aber mal um, wo wir überhaupt gelandet waren. Wissen Se, der Zeltplatz war das eine, aber man musste doch auch über den Tellerrand hinaus die nähere Umgebung ein bisschen anschauen. Was, wenn mal was ist? Lassen Se es mal brennen, oder man braucht einen Doktor! Nee, man muss schon wissen, wo man ist und wohin man sich im Notfall wenden kann. Also spazierten wir los, alle drei: Ilse, Kurt und ich. Nach dem Frühstück und dem Spülen promenierten wir Richtung nächstes Dorf.

Drömershagen hieß der Ort. Sie müssen das gar nicht im Atlas suchen, Drömershagen ist so klein, dass Sie das nicht eingezeichnet haben. Es liegt umgeben von weitem Land, und zwar so weit das Auge reicht. »Gegend haben sie ja hier, und zwar reichlich davon«, sagte Kurt, als wir schon ein gutes Stück die schmale Straße entlangspaziert waren, ohne dass uns ein einziges Auto entgegengekommen wäre. Es war keine Spur von etwas anderem als Landschaft auszumachen. Ganz weit hinten sahen wir eine kleine Ortschaft. Das musste Drömershagen sein. Die Leute da konnten am Freitag schon sehen, wer am Sonntag auf Besuch kommt. Da soll Ariane noch mal sagen, Spandau wäre langweilig, pah!

Ich musste an meine Kinderzeit auf Gut Finkenhof denken. Damals sammelten mein Bruder Fritz und ich Waldhimbeeren und versuchten, sie an die mit ihren Ochsenfuhrwerken vorbeifahrenden Bauern zu verkaufen. Die lachten aber nur, die schickten ihre Kinder selbst zum Sammeln in den Wald und gaben keinen Pfennig. Ja, den Kindern hier in der Gegend blieb bestimmt auch bis heute nichts anderes, als Beeren im Wald zu sammeln oder Sackhüpfen zu spielen. Ballerspiele im Interweb mussten die Eltern hier nicht verbieten, weil der Onlein nämlich gar nicht ging im Dorf. Ich guckte ein paarmal auf mein Tomatentelefon, aber es war genauso mausetot wie bei Kirsten im Sauerland.

Es war eine knappe Stunde zu gehen. Gut, wir gehen langsam, immerhin macht keine neue Kasse auf, nich wahr? Hihi! Drömershagen war ein tristes Örtchen. Die Häuser schienen wie verlassen. Ich begrub den Gedanken, dass wir uns vielleicht einer aktiven Seniorengruppe anschließen könnten. Denn wenn ich mit Gertrud reise, finde ich eigentlich immer rasch Anschluss. Gertrud ist schon wegen ihrer ungebremsten Libido stets auf der Suche nach Bekanntschaft, vorzugsweise nach Herren fortgeschrittenen Jahrgangs. Auf der Kreuzfahrt, die wir vor zwei Jahren gemacht haben, haben wir zum Beispiel die netten Bömmelmanns aus Dresden kennengelernt, die Gittl und den Herbert. Ach, wirklich reizende Leute! Wir schreiben uns bis heute zum Geburtstag und zu den Feiertagen.

Kurt und Ilse bleiben jedoch lieber unter sich, die sind nicht so kontaktfreudig wie Gertrud und ich. Ich kann das in gewisser Weise verstehen, die haben ja auch einander. Aber wenn man alleine reist, sucht man doch ein bisschen Gesellschaft. Ilse ist oft sogar misstrauisch Fremden gegenüber, aber immerhin kamen sie und Kurt mit mir mit.

Wir bummelten durch den Ort. Es war ruhig, so ruhig, dass man den Schnecken beim Schmatzen am Salat zuhören konnte. Aber man konnte von so einem kleinen Dorf mit ein paar Hundert Einwohnern nun auch nicht erwarten, dass hier das Leben tobte. Die jüngeren Leute waren tagsüber außerhalb zum Arbeiten, das ist ja überall so, und die Älteren wuselten im Garten rum oder standen hinter der Gardine. Dass wir drei Fremde durchs Dorf gingen, war verdächtig, so was kam hier wohl nicht oft vor. Die meisten Camper verließen den Platz nicht. Dabei hätte es sich gelohnt, es gab hier nämlich sogar einen kleinen Dorfladen. Der wurde von derselben Familie betrieben, die auch den Kiosk auf dem Platz unterhielt. Hier schob der Mann von der großbusigen Hannelore Dienst. Na, das war schon sehr geschickt eingeteilt! Sie und ihre beiden … Freunde lockten auf dem Zeltplatz die Männer an. Da fragte kein Mensch, warum das Bier einen Groschen teurer ist als bei ihrem Mann im Dorf. Bei ihm war nämlich alles deutlich günstiger. Die Butter kam auf zehn Zents mehr als beim Edeka das halbe Pfund, aber zwanzig Zents weniger als am Büdchen, denken Se sich das mal! Gut, dass wir das gesehen hatten.

Wenn ich hier und da jemanden ansprach, grüßten auch Gläsers freundlich und warfen sogar ab und an ein paar Worte in das Gespräch ein. Ilse wäre aber nie auf den Gedanken gekommen, den Herrn Steinwessel zum Fernsehen zu sich einzuladen, wie Gertrud das mit älteren Herren manchmal einfach so tut. Schamlos, sage ich Ihnen, schamlos! Na ja. Jedenfalls plauderten wir bei unserem Spaziergang ein wenig mit Herrn Steinwessel, der gerade im Garten Holz hackte und uns Fremdlinge zunächst kritisch beäugte. Aber ich stellte mich vor, erzählte, dass wir auf dem Campingplatz logieren, und so ergab sich ein nettes Gespräch, und er legte auch die Axt beiseite. Herr Steinwessel – verschwitzt und im Turnhemd, ich schätzte ihn auf Ende sechzig – deutete mit dem Beil auf ein kleines, schäbiges Bauernhaus. »Das gehört ja eurem Scheff da, dem Habicht«, sprach er. »Hat er geerbt. Seine Mutter hat vor zehn Jahren den Arsch zugekniffen, und erst hat sich kein Mensch um die Hütte gekümmert. Genauso wenig wie in den Jahren vorher um die olle Habicht. Der Garten war verwildert, Sie haben ja keine Ahnung! Meterhoch stand das Gras und samte sich aus. Der Wind kennt doch keine Grundstücksgrenzen! Wir hatten hier das Unkraut stehen, eine Schweinerei war das. Sogar Wühlmäuse hatten wir schon, da können Sie ja nichts gegen machen. Wenn einer den Garten verwildern lässt, sind die Viecher ja sofort da. Aber als dem Habicht die Frau durchgebrannt ist, ist er hierher und zog in Mutters Kate. Das war … zwei Jahre ist das jetzt her. Jawoll, im März waren es zwei Jahre. Ein komischer Kauz ist das. Grüßt kaum, und wenn er was sagt, dann ist er kurz angebunden. Guckt auch immer grimmig. Aber er hat das Grundstück wieder in Schuss gebracht und hält die Wiese kurz. Soweit ich weiß, kümmert er sich auch noch als Hausmeister um das Altenheim und wechselt denen da die kaputten Birnchen in den Lampen und stellt die Mülltonnen raus.

Er spricht ja nicht, aber die Leute reden, dass seine Frau ihn bei der Scheidung richtig geschröpft hat. Dem ist nicht viel geblieben. Als der hier eingezogen ist, reichte ein Autohänger. Muss die Tochter gewesen sein, die beim Umzug geholfen hat. Die hat auch noch zwei Tage mit rumgewirbelt und die Fenster geputzt und so, seitdem hat die hier auch keiner mehr gesehen.«

Herr Steinwessel wischte sich die Schweißtropfen von der Stirn. Das Holzhacken hatte seinen Kreislauf tüchtig in Schwung gebracht, und die Sonne tat ein Übriges. Der Planet drückte heute wieder dolle. Umso verwunderter war ich, dass Frau Steinwessel Fenster putzte. Wusste die denn nicht, dass das Schlieren gibt? Man konnte sich nur wundern. Aber als ich genauer hinschaute, sah ich, dass sie nur so lustlos mit dem Lappen auf der Scheibe rumrubbelte. Die war neugierig und horchte, die wollte wissen, was ihr Mann hier mit drei Fremden zu besprechen hat. Ich kenne doch die Tricks!

Lange hielt sie es aber nicht aus. Gerade als Herr Holzwessel ... Steinwessel von der Habicht-Tochter berichtete, erklang ein schriller Ruf: »Horst-Herbert!«, brüllte sie fast. »Horst-Herbert, kommst du mal?«

Das war mehr ein Kommando als eine Bitte, aber der Horst-Herbert hatte keine rechte Lust, das so zu verstehen. Frauen können das, die können Satzzeichen sprechen, achten Se mal drauf! Ilse auch. Sie sagt zum Beispiel oft: »Aha.« Sie kann das so sagen, dass es sich wie alles Mögliche anhört. Wenn sie genug gehört hat, sagt sie es schnippisch und beendet damit gern mal ein Gespräch. Manchmal sagt sie es ein bisschen langsamer und zum zweiten »A« hin etwas hochgezogen, dann klingt es eher fragend und ermuntert ihr Gegenüber, doch gern mehr zu berichten. Wenn ihr »Aha« ganz kurz und ganz knapp ist, hat Ilse sich ihr Urteil gebildet und will nichts weiter hören.

Horst-Herbert war mit den Feinheiten von Brigittes Betonung vertraut, ignorierte sie aber. Er wandte den Kopf zu ihr rüber, blinzelte gegen die Sonne und rief zurück: »Nee, komm du mal her, Brigitte.« Darauf hatte die Steinwessel nur gewartet. Wie ein Wiesel wetzte sie herüber, eine Dame um die siebzig, gemütlich, mit Kittelschürze bekleidet, und … ich will nicht sagen neugierig, aber doch sehr wissbegierig. Ihre Augen leuchteten regelrecht, als sie uns die Hand entgegenstreckte. Sie brannte darauf, endlich mehr über den Habicht zu erfahren. Man sah ihr geradezu an, dass sie in den letzten beiden Jahren über Stunden vergeblich auf ihren Fensterscheiben rumgerubbelt hatte, immer in der Hoffnung, einen Blick auf Günter Habicht zu erhaschen und ein kleines bisschen mehr über ihn rauszukriegen.

Nennen Se mich grausam, aber da war se bei mir verkehrt. Eine Renate Bergmann ist keine Klatschtante und lässt sich nicht aushorchen, erst recht nicht von einer mecklenburgischen Brigitte in Kittelschürze. Horst-Dingens setzte die Gemahlin kurz ins Bild und erzählte, dass wir Camper seien, zu Gast aus Berlin und auf Spaziergang durch den Ort. »Ach, und Sie kennen den Herrn Habicht? Erzählen Sie mal, wie ist er denn so? Er hat ja den wilden Hund auf dem Grundstück frei laufen, man kommt gar nicht ran an ihn. Meist ist er ja auch weg, entweder auf dem Campingplatz oder im Altersheim. Und wenn er mal zu Hause ist, sieht man ihn nicht.« Sie konnte es wirklich nicht abwarten.

Ilse parierte den plumpen Lauschangriff jedoch meisterlich. »Der Herr Habicht ist ein korrekter Herr, zuvorkommend und sehr auf Ordnung bedacht. Wir können uns nicht beklagen, wir kommen gut zurecht miteinander.«

Kurt schob mit gewissem Stolz in der Stimme nach: »Meine Frau darf sogar seinen Rasentrecker fahren«, was Brigitte erst mal verdauen musste. Sie wusste, obwohl sie fast Wand an Wand mit Günter Habicht wohnte, fast nichts über ihn. Dass Ilse seinen Rasenmäher fahren durfte, war eine Neuigkeit, die Brigitte mit großer Sicherheit triumphierend den anderen ollen Frauen im Dorf verkünden würde, dessen war ich sicher. Die würde nicht mal bis zum nächsten Kränzchen warten, die würde gleich zum Hörer greifen und ihre Weiber anrufen, sobald wir weg waren. Jede Wette!

Wir parlierten noch ein paar Minuten mit den Steinwessels. Der Ort wäre tagsüber wie ausgefegt, berichteten sie. Der Bus in die Kreisstadt fuhr morgens und nachmittags, zweimal die Woche kam das Bäckerauto, und der Arzt hielt jeden Donnerstag eine Sprechstunde im Pfarrhaus ab. »Gleich neben der schönen Backsteinkirche, die müssen Sie sich angucken! Der Pfarrgarten verkommt ja, aber immerhin trägt der Apfelbaum prächtige Kläräpfel. Die hole ich mir immer, wenn sie reif sind, aber ein paar Wochen brauchen sie noch«, berichtete Brigitte.

Ja, da konnten die froh sein, dass sie noch einen Doktor hatten, auch wenn er nur einmal die Woche kam. Ich kenne auch andere Fälle, wo die alten Leutchen immer die Enkel anbetteln müssen, dass die sie fahren. Sie mussten dem Dorfdoktor dankbar sein, dass er zum Blutdruckmessen und Tablettenaufschreiben rauskam nach Drömershagen. Das ist ja auch anders als in der Stadt. Bei uns in Spandau ist der Doktor der, der auf Kundschaft lauert und der nett sein muss, weil die Patienten sonst woanders hingehen, wo sie kriegen, was sie wollen. Auf dem Dorf gehört der Doktor noch zu den Honoratioren dazu, und sein Wort gilt was. Früher war der Doktor wie selbstverständlich bei Feierlichkeiten mit eingeladen, genau wie der Bürgermeister und der Pfarrer. Aber das ist ja auch alles vorbei. Was meinen Se, wie Frau Doktor Bürgel gucken würde, wenn ich die zur Kaffeetafel mit Kirsten bäte!

Wir kamen am Friedhof vorbei auf das Pfarrhaus zu. Man sagt ja immer, würden auf allen Gräbern, in denen unentdeckte Mordopfer ruhen, Kerzen leuchten, wären die Friedhöfe hell erleuchtet. Wissen Se, wenn auf dem Dorf oder in der Kleinstadt einer stirbt, dann guckt der Doktor nicht so genau hin. Da wird »Herzstillstand« angekreuzt, und fertig ist der Lack. Meist stimmt das doch auch. Was meinen Se, was los wäre, wenn die Oma mit einundneunzig friedlich eingeschlafen ist und der Doktor sucht dann auf dem Rücken nach Einstichstellen. Das gäbe doch einen Aufstand!

Wir hatten das mal, als Frau Doktor Bürgel neu angefangen hat, damals in den Siebzigerjahren. Da wurde die ins Haus gerufen, um den Totenschein auszustellen, und schnupperte überall erst mal rum, ob es vielleicht nach bitteren Mandeln riecht, und stellte dumme Fragen. Da hat sie der alte Doktor Pescher, von dem sie die Praxis übernommen hat, aber gleich in den Senkel gestellt. Wissen Se, wenn man einen Trauerfall hat, will man doch kein Aufhebens vom Doktor her, der sich da wichtig tun will, weil er zu viele Krimis geguckt hat. Da hat man zu tun, einen schönen Sarg auszusuchen, den Zuckerkuchen für das Fellversaufen zu backen und die Versicherungsunterlagen zusammenzusuchen. Nee, Doktor Pescher hat die Bürgel gleich eingefangen. So was spricht sich doch rum, und zu so einem Doktor geht keiner gern! Da ist dann das Wartezimmer ruck, zuck halb leer, jedenfalls in der Stadt, wo man die Wahl hat. Der beste Doktor ist der, der den Leuten das aufschreibt, was sie wollen. Heutzutage wird ja auch nur noch zum Arzt gegangen, um sich bestätigen zu lassen, was man vorher schon im Onlein beim Gockel selber rausgefunden hat. Der Doktor soll dann nur noch die Krankschreibung ausstellen, das Rezept oder den Totenschein. Je nachdem.

In der Dorfmitte stand, wie es sich gehört, eine kleine Kirche. Das Gotteshaus war aus sehr mächtigen alten Steinen gemauert. Ich kenne mich da ja nicht aus, ob es Gotik, Barock oder Botanik ist – ich kann Ihnen nur sagen, dass es eine wunderschöne Kirche war und gut in Schuss. Das Pfarrhaus nebenan war verlassen, offenbar wohnte hier kein Pastor mehr vor Ort. Es wurde anscheinend als Gemeindehaus für alles Mögliche genutzt. Hier hielt der Teilzeitdoktor seine Sprechstunde ab, und man konnte Familienfeste feiern, wenn man das Getümmel nicht zu Hause in der guten Stube haben wollte. Immerhin wurde es genutzt und mit Leben erfüllt und stand nicht leer und verfiel.

Wissen Se, trotzdem war es schade um den schönen Pfarrgarten! Der verwilderte, dass mir das Herz blutete. Kniehoch stand das Unkraut, sage ich Ihnen, kniehoch! Ilse konnte kaum den Blick von dem schönen Apfelbaum wenden, von dem Brigitte Steinwessel schon geschwärmt hatte.

»Guck doch nur, Renate! Diese schönen Äpfel! Nicht mehr lange, und die sind reif. Es wäre ein Jammer, kämen die um.« Sie guckte schelmisch, wie man es ihr nicht zutrauen würde.

»Ilse!«, fuhr ich sie harsch an. »Du wirst doch wohl nicht im Pfarrgarten Äpfel klauen? Das steht doch in der Bibel, dass das nicht gut ausgeht!« Ich ergriff sie am Arm und machte so deutlich, dass ich entschieden gegen diese Idee war.

»Was? Die gehören doch niemandem. Die fallen runter, und die Igel schleppen sie weg.«

Ilse meinte das offenbar wirklich ernst.

Wir beguckten die Sache aus unverdächtiger Entfernung. Noch waren die Äpfel nicht reif, eine gute Woche würden sie noch brauchen. Ich hoffte inständig, dass Ilse das bis dahin wieder vergessen würde. Ich esse seit bald achtzig Jahren freitags Fisch, da riskiere ich doch nicht das Fegefeuer, weil meine Freundin im Pfarrgarten Äpfel klaut! Also wirklich. »Ilse, wir haben auch gar keine Flotte Lotte dabei, um richtiges Apfelmus zu machen, und nun komm, wir machen uns wieder auf den Weg. Bis wir zurück sind, ist es Zeit für das Mittagbrot. Abmarsch!«

Wir winkten auf dem Rückmarsch dem Steinwessel noch mal zu, ich winkte auch Richtung Küchenfenster, wohl wissend, dass die Brigitte da stand, und spazierten zurück zum Campingplatz. So eine ausgiebige Wanderung am Vormittag machte richtig hungrig! Wir wollten eigentlich Kartoffelsuppe machen, die ist schnell gekocht. Aber dazu kam es nicht.

Als wir zurückkehrten, gab es nämlich eine Schrecksekunde:

Unser Wohnwagen war weg!

Mir wurde ganz flau, und ich merkte, wie mir die Hitze hochstieg. Ilse stieß einen spitzen Schrei aus, und auch Kurt war verwundert und guckte fragend.

Doch noch ehe wir hätten laut Alarm schlagen können, sahen wir unser Zuhause wieder. Der Bus stand nur ein paar Meter weiter zum Birkenwäldchen hin, weg von der schönen Kiefer, die so fein duftete. Das haben wir erst gar nicht gesehen, wissen Se, im Alter hat man nicht mehr so Rundumsicht, da konzentriert man seine Restsehkraft auf das, was vor einem liegt. Ich dachte zuerst, der Habicht stecke dahinter. Dem traute ich alles zu! Vielleicht hatte der ja Rasen gemäht, und unser Domizil stand ihm im Weg? Günter Habicht würde nicht zögern und den Wohnwagen einfach wegschieben. Aber er war unschuldig, wie mir schlagartig klar wurde, denn neben unserem Wagen parkte ein Auto, das mir sehr bekannt vorkam.

Meine Tochter Kirsten war auf Besuch gekommen.

Donnerschlag, die hatte mir noch gefehlt! Sie hatte es ja angekündigt, aber ich hatte nicht im Traum damit gerechnet, dass sie ihre Drohung wahr macht. Ich lächelte Ilse und Kurt tapfer zu. Die beiden sind ja im Bilde, was Kirsten betrifft, und machen mir auch keine Vorwürfe, dass ich in der Erziehung versagt hätte. Manchmal werden die Kinder eben einfach merkwürdig, da können die Eltern gar nichts dafür.

»Kurt, ich verspreche dir, dass Kirsten das wieder richtig hinstellt, und auch das Vorzelt wird wieder aufgebaut«, brachte ich hervor, ehe ich tief durchatmete. Kurt nickte. Es war so ein mehrdeutiges Ilse-Nicken, das sagte: »Das will ich aber wohl auch hoffen«, aber gleichzeitig schwang auch Verständnis mit. Er kennt Kirsten ja und weiß, dass … aber ich schweife ab.

Aus dem Wagen polterte es, Kirsten räumte gerade die Betten um.

»Mama, Tante Ilse, Onkel Kurt!«, rief sie freudig zur Begrüßung. »Da seid ihr ja! Wo wart ihr denn? Der Herr Habicht hat mir euer Domizil verraten … sehr netter Herr, wenn auch verspannt im vierten Meridian … da müssen wir morgen mit den heißen Steinen dran, und zum Yoga kommt er auch.«

Ach du heiliger Schreck! Der Habicht hatte Kirsten ohne Vorwarnung kennengelernt und gleich die ganze Dosis bekommen, ohne dass ich dabei gewesen wäre und beschwichtigen und erklärend hätte eingreifen können!

»Kind. Warum rufst du nicht an, bevor du kommst … aber die viel wichtigere Frage ist: Warum hast du den Wohnwagen verschoben, und LASS DIE FINGER VON MEINEM BETT!«

Ich bekam gleich einen langen Vortrag, dass ich nicht so unentspannt schreien solle, dass auch bei mir ein Meridian eingeklemmt sei und dass sie erst mal das Auto wegfahren müsse, weil der Platzwart ihr mit dem Abschleppwagen gedroht habe. Sie müsse nur rasch noch die Katzen ausladen, und dann sagte sie:

»Mama, nun stell dich nicht dümmer, als du bist. Über Feng Shui haben wir schon so oft gesprochen! Das war sehr fahrlässig, sich so hinzustellen, du siehst ja, wie deine Energiebahnen blockiert sind!« Sie lächelte, gab mir einen Kuss auf die Stirn und lud drei Katzenkörbe aus ihrem Auto. Dann knatterte sie von dannen. Ja, laut Zeltplatzordnung waren Autos von Zeltern nicht erlaubt, nur zehn Minuten zum Ausladen. Ich sah den Habicht mit der Stoppuhr aus seinem Büro rüberschielen.

Ilse guckte mich ängstlich an, und Kurt sprach aus, was uns alle bewegte: »Bleibt die etwa hier?«

Tja. Man konnte sie nicht rausschmeißen, sozusagen, schließlich hatte sie ihr eigenes kleines Wurfzelt mit. Sie hatte bezahlt und vom Günter Habicht einen Platz zugewiesen bekommen, und weder Kurt noch ich hatten das Hausrecht, sie einfach wegzuschicken.

Kirsten hatte mehrere Transportboxen mit verstörten Kätzchen mit. Die mussten erst mal drinbleiben, um sich von der Autofahrt mit ihr zu erholen. Ja, das ist verständlich, ich bleibe da auch meist noch kurz sitzen, bete meinen Rosenkranz zu Ende und danke dem Herrn, dass er mich das hat überleben lassen. Aber auch als sich die eine Muschi längst hätte beruhigt haben sollen, machte sie nur einen Sprung, klammerte sich ängstlich an Ilses Wohnwagengardine und wehrte sich mit Kratzen und Keifen gegen Kirstens Versuche, sie abzupflücken.

Kirsten hatte schon immer eine besondere Beziehung zu Tieren und trauerte schon mal um den Broiler, den

Wilhelm zum Abendbrot mitbrachte, wenn ich Spät-
schicht hatte und er das Mädel verköstigen musste.
Später, als wir ein paar Guppys im Aquarium hielten und
einer einging, wollte sie ihn einäschern statt ihn dem
Kater zu geben. Herrje! Wilhelm schlug als Kompromiss
vor, ihn in der Toilette runterzuspülen, aber unser kleines Trotzköpfchen ließ sich nicht darauf ein. Während
Wilhelm und ich noch in der Wohnstube diskutierten,
wie wir das Mädel wohl zur Vernunft bringen, schob
sie den dahingeschiedenen Fisch bei zweihundert Grad
ins Backrohr. Es roch wirklich recht appetitlich nach ein
paar Minuten! Wilhelm schickte Kirsten zur Strafe auf
ihr Zimmer, und Katerle ... nun ja. Durchgegarter Fisch
ist für so ein Tier ja auch viel bekömmlicher als roher.

»Wie bist du überhaupt in unseren Bus reingekom-
men, Kirsten, wir hatten doch abgeschlossen?«, fragte
ich etwas erschrocken.

»Mama!« Kirsten nahm mich in den Arm. »Ich kenne
Tante Ilse nun auch schon ein Weilchen. Noch nie hat
der Schlüssel woanders gelegen als unter dem zweiten
Geranientopf rechts neben dem Eingang.«

Ja. Was soll man dazu sagen? Über fünfzig Jahre gucken wir jeden Monat Verbrecherjagd im Fernsehen,
erst mit Ede Zimmermann und nun mit dem Rittberger-
Rudi, und Ilse hat nichts gelernt. *Nichts!* Versteckt die
den Schlüssel unterm Geranientopp, ich bitte Sie! Da gucken die Gängster ja nun wirklich zuerst.

Nun hatten wir Kirsten hier. Sie wollte zwei Nächte
bleiben und dann weiterreisen zu einem Heilsteine-Kon-
gress in Berlin. Vorbei war es mit beruhigender Routine
und gepflegter Langeweile!

Zu allem Überfluss hatten wir von Stund an auf einmal das Viech der Saldinis bei uns vor dem Vorzelt, diesen Dackel auf drei Beinen. Kurt hatte gleich an einem der ersten Abende, als Ilse dem Hund ein Stück Bratwurst gab, ganz klar gesagt, dass er das nicht will, und hatte dem Köter böse in die Augen geguckt. Kurt hat die Gabe, Kinder und Hunde so anzugucken, dass sie aufhören zu kläffen und zu weinen und sich verkrümeln. Der hinkende Dackel jedenfalls kam nicht mehr – jedenfalls nicht zum Betteln. Kurt dachte, er hätte ihn vertrieben, aber ganz so war es nicht. Jeden Morgen hatten wir ein Hundehäufchen auf dem Rasen, genau auf dem Laufweg zum Waschhaus rüber. Wenn man einmal in so eine Bombe getreten ist, achtet man ja darauf und guckt. Es war keine große Mühe, das wegzumachen, deshalb regte ich mich nicht auf. Ich war ja als Erste aus den Federn. Kurt dachte, er hätte dem Hund Respekt eingeflößt, aber der Köter war schlau. Der ging Kurt aus dem Weg, aber wenn er Ilses Schnarchen hörte, kam der rüber und machte sein Geschäft. Ich hätte ja zu gern mal gesehen, wie der mit drei Beinen auch noch eins hochhebt, aber das hat sich nie ergeben. Vielleicht war es ja auch ein Mädchen, die Hundemädchen setzen sich ja hin. Ich weiß es nicht. Jedenfalls hatte Kirsten natürlich einen Narren am Zoo der Saldinis gefressen und therapierte mit Inbrunst das Pony.

Wissen Se, früher war das ja noch nicht weit her mit dem Tierschutz. Das Pony hatte überall kahle Stellen im Fell. Das Viechlein ist sein Leben lang im Kreis geritten, mit der Margitta im Glitzerbadeanzug auf dem Buckel, die sich mit den Füßen eine Zigarette anzündet. So was bleibt doch nicht ohne Folgen, da behält das Tier doch was zurück! Kirsten sagte, das Problem war nicht mal das Kreislaufen. Der Hubert – so hieß das Pony – hüppelte zwar komisch, aber seine Psyche wäre in Ordnung.

Ja.

So was kann meine Tochter beurteilen. Ob die Psyche eines Ponys in Ordnung ist, da weiß sie Bescheid, aber dass die Post das Porto erhöht hat und die nun achtzig Zents für einen Brief nehmen, das kriegt sie nicht mit.

Nun ja, jedenfalls erklärte Kirsten das Pony für psychisch gesund, was Margitta Saldini aufatmen ließ. Ich verstehe das nicht, wissen Se, Kirsten findet immer wieder Menschen, die auf ihren Quatsch reinfallen und für ihre Schwingungen empfänglich sind. Kirsten diagnostizierte jedoch eine Verschlankung bei Hubert. Sie fabulierte ein paar Minuten von Schlacken, Schwermetallen und Detocks. Zunächst wurde das Tier mit ihrem basischen Badezusatz eingeseift und abgeduscht, und dann ging es an die Ernährung.

Kirsten isst ja nur, was auf dem Baum wächst. Kurt hat versucht sie auszutricksen und meinte, er hätte genau gesehen, wie das Schwein vom Ast gefallen ist, und sagte, sie könne das Steak ruhig essen, aber da war se dann beleidigt. Wenn man Kirsten veralbert, wird se sauer.

Kirsten ist … ach, wissen Se, ich finde nur schwer die richtigen Worte, die beschreiben, wie das Kind tickt. Ja, ich schreibe »Kind«, auch wenn sie nun fünfzig ist. Für eine Mutter bleibt ihr Kind immer ein Kind! Kirsten ist ein bisschen speziell, und es ist nicht so, dass sie dumm ist. Sie ist geschäftstüchtig, gerissen und … originell. Sie tickt eben nur ein bisschen in einem anderen Takt als der Rest der Welt, und das wirkt auf andere Leute – ich nehme mich da gar nicht aus! – oft befremdlich.

Kirsten ist immer auf der Höhe der Zeit mit ihrem … Geschäft. Man kann das auch deshalb nie so genau sagen, was sie macht. Wenn mich einer fragt, sage ich immer, dass sie Krankenschwester gelernt hat. Wissen Se, da bin ich stolz drauf, und mit ein bisschen Glück fragt keiner nach. Man muss es auch nicht jedem Fremden erklären, dass sie da mit Katzen, Papageien und Schildkröten turnt und denen die psychischen Blockaden bereinigt. Sie kümmert sich ja auch um nicht ganz ausgelastete Frauen. »Esoterische Lebensberaterin und Heilpraktikerin für Frauchen und Getier«, könnte man sagen. Vor zwei Jahren war alles ganz verrückt mit Mond, da hatten wir ein Blutmondjahr, und das hat meine Tochter genau erkannt und ihre Kurse entsprechend genannt. Die haben ihr fast die Tür eingerannt!

Nun isse mehr auf Ditocks. Nee, »Detox« schreibt man das. Das kommt von »toxisch«, also giftig, und gaukelt den Leuten vor, dass sie entgiften, wenn sie nur die richtige Diät mit Kirsten machen. Es ist ja nicht verboten, an diesen Blödsinn zu glauben, und Kirsten darf das deswegen auch anbieten, solange sie keine Heilversprechen macht. Sie faselt immer nur von »besser fühlen«, »entschlacken« und »innerer Zufriedenheit«. Ich habe ihren Kontoauszug gesehen, als ich neues Schrankpapier ausgelegt habe, ich kann die innere Zufriedenheit bei Kirsten gut nachvollziehen. Sie versteht ihr Geschäft und redet den Leuten Probleme ein, die sie gar nicht haben. Ein Kursus bei ihr sieht dann manchmal so aus, dass sie die Leute im Schneidersitz auf eine Jogamatte platziert und die da eine Dreiviertelstunde still verharren müssen. Das ist für die innere Einkehr und damit man erst mal wieder zu sich zurückfindet, in sich reinhört und sich bewusst macht, wie zappelig man eigentlich ist. Kirsten macht da gar nichts, sie sitzt in der Ecke am Schreibtisch und passt nur auf, dass alle still sind und auch wirklich nicht schwatzen. Im Grunde wie eine Lehrerin, wenn eine Klassenarbeit geschrieben wird, nur dass die Lehrerin nicht neunundachtzig Euro pro Stunde nimmt.

VON JEDEM EINZELNEN TEILNEHMER!

Nun war sie also mit Detox unterwegs. Gleich am ersten Abend, als wir bei Grillwurst und Zuckinis beisammensaßen, brachte sie uns erst mal auf den neusten Stand. Sie machte bei Ilse, Kurt und auch mir eine Haaranalyse, bevor es losging. Wir mussten uns alle kämmen, und dann nahm Kirsten zwei, drei Haare von jedem Einzelnen und gab das in ein teuer aussehendes Messgerät. Das Ding piepste ein bisschen, fast wie der Thermosmischer. Hinten raus kam nach ein paar Minuten ein langer Streifen, eine Mischung aus Kassenbon und EKG, müssen Se sich vorstellen. Kirsten guckte konzentriert auf die Kurven und las dann vor, wovon wir zu viel oder zu wenig hatten. Ich habe mir das alles nicht gemerkt, aber es fielen Begriffe wie Magnesium, Quecksilber, Basenhaushalt und Formaldehyd. Ich überlegte kurz, ob vielleicht sogar was dran war und bei Ilse der Sonnenmilchanstrich durchgesickert war und wie Formaldehyd wirkte, aber als *meine eigene* Tochter *mir* ins Gesicht sagte, mein Körperwasser wäre dreckig und verschlackt, da war es aber aus.

So eine Frechheit!

Ich wasche mich morgens und abends, und zwar auch untenrum und unter den Armen, ich lasse mir nicht sagen, ich wäre dreckig! Kirsten beschwichtigte mich und meinte, sie würde das Zellwasser meinen. Da würde man mit dem Seiflappen nicht drankommen, sondern nur mit der Ernährung oder mit basischen Bädern.

Kurt machte sich ein zweites Bier auf und sagte: »Ich bade die Bratwurst erst mal in einer Hopfenschorle, das hilft bestimmt.«

Kirsten fühlte sich nicht ernst genommen und wurde grantig. Sie holte ein weiteres Köfferchen aus dem Auto, und wir mussten ihre ganze Umweltapotheke angucken. Sie hatte lauter Fläschchen und Ampullen drin, aus denen sie für jeden Einzelnen, je nach seinem persönlichen Mangel und seiner Belastung mit Gift, eine auf ihn zugeschnittene Kur zusammenstellte. Es gab Meeresmineralien, gemahlenes Vulkangestein und Bittertropfen. Ilse ließ sich überreden, ein paar Flohsamen über ihr Kompott zu streuen, aber erst, nachdem Kirsten ihr versichert hatte, dass das nichts mit Flöhen zu tun hat. Sie sagte, es schmeckte wie Leinsamen, und da sie, wie ich schon berichtet habe, jenseits von zu Hause eh mit der Verdauung haderte, aß sie das Zeug bereitwillig. Kirsten machte es Freude, und so fiel es nicht auf, dass Kurt gar nichts sagte, was kein gutes Zeichen ist.

Dann kommt es hintenraus meist ganz dicke.

Kirsten erzählte uns dann, dass sie das selbstverständlich nicht nur mit Haaren machen kann, sondern auch mit dem Fell von Hund und Katze. Sie hätte begeisterte Kunden, die ihr die Bude einlaufen und Hasso und Minka auf Schadstoffbelastung testen ließen. Anschließend gab es einen Diätplan, und am Verkauf der Vulkanasche verdiente sie auch noch mal. Der Smufiemacher, den sie mir vor zwei Jahren geschenkt hatte, war ganz offenbar schon nicht mehr »Stand der Technik«, denn das Mädel hatte nun eine neue Maschine. Sie kostete vierstellig, erzählte Kirsten im Vertrauen, aber dafür würde sie besonders schonend und langsam entsaften, selbstverständlich nur rohes Gemüse aus der Region von Bauern, die nach dem Mondkalender pflanzen. Die Säfte wären aber sehr wirksam und könnten die ganze Disco-Kur beschleunigen. Detox, nicht Disco. Ach hören Se mir auf, ich kann mir den ganzen Blödsinn nicht merken! Kirsten sagte, das mit der Vergesslichkeit komme von der Übersäuerung, und ich müsste ins Basenbad, das würde auch das Zellwasser entschlacken und mich reinigen. Da war es mir endgültig genug. Sie wollte mich genauso behandeln wie ein Pony mit Haarausfall und fing schon wieder damit an, dass ich dreckig war! Das ließ ich mir nicht zweimal sagen und ging schlafen, und zwar ohne Natursaft zur Nacht aus dem Teilchenbeschleuniger für tausend Euro.

Am nächsten Morgen wurde ich wach von dieser Radaumaschine. Kirsten schleuderte sich das Flüssige aus Sellerie und Wirsing raus und kam – uneingeladen! – zu uns an den Frühstückstisch, sagte aber nichts. Nicht mal »Guten Morgen«. Stattdessen zog sie eine Schnute und kaute intensiv. Nach einer ganzen Weile grüßte sie dann und erklärte, dass man jeden Bissen dreißigmal kauen müsse, auch wenn es Saft war. Der Mineralienhaushalt würde es einem danken, sagte sie. Dann kam der übliche Vortrag, dass ich an meinen Zucker denken soll, und sie machte sich auf zum Bungalow der Saldinis. Ich bin nun die Letzte, die was gegen schönen Obstsaft hat. Wenn ich zurückdenke an meine Kindheit auf dem Finkenhof, ach, dann sehe ich Oma Strelemann vor mir, wie sie Apfelsaft macht. Der schmeckte nach Sommer und Sonne und war so süß und voller Geschmack, wunderbar! Kirstens

Sellerieplörre hingegen roch nach Apotheke. Ich probierte trotzdem, weil mir ein gutes Mutter-Tochter-Verhältnis wichtig ist, und dachte bei jedem kleinen Schluck an Oma Strelemann. Ich stellte sie mir vor, wie sie mit ihrem weißen Haar in der Küche steht und den Apfelsaft durchs Seihtuch tropfen lässt. Herrlich schmeckte das ... na ja. Der Selleriegeschmack war doch zu streng und zerstörte meinen schönen Traum. Ich durfte mit Kamillentee nachspülen. Es war Bio-Kamille aus dem Klostergarten. Wissen Se, ich konnte das kaum glauben. Heutzutage gibt es doch kaum noch Nonnen, und die paar, die noch umherrennen, die haben genug damit zu tun, zu beten und dem Pfarrer den Haushalt zu führen. Ich kann mir nicht vorstellen, dass die noch viel Zeit haben, hektarweise Kamille anzubauen und für Leute wie Kirsten in kleine Tütchen abzufüllen.

Am Saldini-Pony tobte sich Kirsten so richtig aus, sie nahm ein Büschel des eh schon losen Fells und stellte Mineralstoffdefizit und Formaldehyd fest. Genau wie bei Ilse. Nur bekam das Pony keine Flohsamen, sondern eine Kette aus keltischen Heilsteinen um den Hals. Auch sollte es nicht am Strand laut singen, um die Spannungen im Körper abzubauen, wie meine Tochter es Ilse geraten hat. Beim Hubert – so hieß das Pony von Saldinis – diagnostizierte Kirsten zusätzlich auch energetisch verursachte Stimmungsschwankungen, wovon das Tier diese handtellergroßen kahlen Flecken im Fell bekam. Auch da sollten die Steine mit ihrem Schwingungsgedöns helfen. Ich sah Kurt schon hoffnungsfroh durch das schüttere Haupthaar streichen, aber Ilse deutete ihm mit einer kleinen Geste an, dass Kirsten ja nicht ...

also, sie wischte mit der flachen Hand vor dem Gesicht wie ein Scheibenwischer hin und her.

Kirsten schwört auf so einen Quatsch und kann anderen glaubhaft machen, dass das hilft. »Sie wollen doch auch, dass das Tier nach all den Jahren, in denen Sie es geritten haben, einen angenehmen Lebensabend hat, Frau Saldini?«, fragte Kirsten mit samtweicher Stimme, in der aber so viel Nachdruck mitschwang, dass die Saldini ein schlechtes Gewissen bekam. Sie schluckte zwar kräftig, schob Kirsten aber dreihundert Euro rüber. Dafür trug ihr Pony nun statt eines Halfters eine klimpernde Kette bunter Steine.

Auch den dreibeinigen Hund steckten sie ins Basen-Bad in der kleinen Babywanne. Man staunt ja nicht nur, gegen was das Badesalz von Kirsten alles helfen sollte, sondern auch, was manche Leute auf dem Zeltplatz alles dabeihaben. Eine Babywanne! Na ja, wissen Se, ein Bungalow eines Dauercampers ist im Grunde ja nichts anderes als ein Gerümpelschuppen, da sammelt sich allerlei Zeuch an. Kirsten streute verschiedenes Salz aus ihrem Chemiebaukasten ins Wasser. Der Hund strampelte mit allen dreien. Ich musste bei so was immer die Augen zukneifen und ganz langsam zu mir sagen: »Renate, so sind eben die neuen Zeiten«, aber innerlich sah ich Opa Strelemann vor mir, wie er sich halb schief lachte. Den Hofhund zu schamponieren wäre dem nie in den Sinn gekommen! Der Rex durfte im Sommer in den Teich und sich ausbaden, aber damit war es auch genug. Der hatte das Gehöft zu bewachen und hatte gar keine Zeit dafür, eine Spange im Haar zu tragen und ein Bad mit Kaliumsalz zu nehmen. Norbert, was der Dober-schnauzer meiner Freundin Gertrud ist, übrigens auch nicht. Gertrud geht auch nicht zum Hundefriseur mit Norbert, das ist auch nicht nötig. Norbert hat kurzes, glattes Fell und ist sehr pflegeleicht. Wenn er doch mal wieder einer Ente nachjagt und in den verschlammten Feuerlöschteich springt, braust Gertrud ihn in der Badewanne ab, und der Hund ist wieder fabrikneu. Else Kröte hat so ein kleines, kläffendes Hundchen. So groß wie ein überfüttertes Karnickel, aber es bellt wie wild. Es lärmt und springt im Kreis. Da, wo die Zunge raushechelt, ist vorne. Mit dem Radaumacher ist Else zweimal im Monat beim Hundefriseur. Die machen da das ganz große Programm mit Waschen, Schneiden und Föhnen, das dauert länger als bei mir, wenn ich alle sechs Wochen zu Ursula gehe und Dauerwelle machen lasse. Ich glaube fast, die lässt ihrem Kläffer noch Strähnen machen. Was das kostet!

Gertrud käme gar nicht auf die Idee, und Norbert würde sich das auch nicht gefallen lassen. Norbert ist nicht die hellste Kerze auf der Torte, am Rande bemerkt. Gertrud schickt ihn manchmal, wenn er nur ein Bächlein muss und nicht groß, alleine vor die Tür. Als Hundehalter weiß man doch, wann ein Tier ... und wann er nur »klein« macht! Norbert pischert an seine Stammbäume und markiert, und wenn er fertig ist, hat er vergessen, wo er wohnt. Er kläfft dann vor irgendeiner wildfremden Tür um Einlass. Ganz trottelig guckt er denjenigen an, der ihm die Tür öffnet. Zum Glück kennt ihn jeder im Kiez und bringt ihn nach Hause zu Gertrud. Es ist jedes Mal eine große Freude, er schleckt Gertrud ab vor Glück, wieder zu Hause zu sein. Ein selten dämlicher Hund.

Am nächsten Morgen – wir saßen noch beim Frühstück, Ilse zählte Kurt gerade seine grünen Algentabletten vor – gab es auf einmal rege Betriebsamkeit auf dem ganzen Zeltplatz. Es war Kirstens letzter Tag vor ihrer Abreise, da gab sie noch mal eine ganz große Vorstellung. Auf der großen Freifläche kamen eine Menge Leute zusammen. Das gab es sonst nur beim Lagerfeuer, wenn wir Stockbrot machten. Es war aber so früh noch gar keine Zeit für Feuer und Gemütlichkeit, und außerdem hatten viele Turnmatten mit und waren sportlich gekleidet.

Nun bin ich ja bestimmt nicht neugierig, aber das interessierte mich doch. Ich reckte den Hals und wollte unbedingt mitkriegen, was da nun vor sich ging. Man muss ja schließlich wissen, was um einen herum passiert, nich wahr? Als sich sogar die Frau Hupe und Bijonzie mit Matte unterm Arm aufmachten, musste ich aber nachfragen.

»Aber, Frau Bergmann, Ihre Tochter macht doch kostenfrei Yoga für alle!«

»Meine ... hat sie Ihnen also erzählt, dass sie meine Tochter ist?«

»Ja, Frau Bergmann, gestern Abend, als sie mir den Appetit wegpunktiert hat. Ich habe nur vier klitzekleine halbe Brötchen runtergekriegt, dann war ich pappsatt. Es wirkt!«, entgegnete Frau Hupe stolz und zog den Bauch ein. So, wie sie guckte, erwartete sie ein Kompliment dafür, dass sie so prima abgenommen hat.

Ich musste mir das mit dem »Joga für alle« unbedingt angucken. Ilse kam auch mit, Kurt hingegen blieb am Wohnwagen. Der hatte nur Angst, dass er mitturnen muss und nicht wieder hochkommt, der olle steife Bock!

Aber es war auch ganz gut, dass einer beim Wohnmobil blieb.

Es war eine ordentliche Meute beieinander, und meine Kirsten in der Mitte. Alle lungerten im Kreis um sie rum. Manche hatten, wie ich ja schon erzählt habe, Gummimatten mit. Also, nicht solche, die man unter das Laken tut, wenn einer … also, falls ein Malheur passiert, sondern so Turnmatten. Manche hatten ihre Isoliermatten aus den Zelten dabei, anderen verkaufte Kirsten gerne welche für einen Zwanziger aus ihrem China-Import. Auf denen sitzt man recht weich. Fräulein Tanja, die bei uns das Seniorenturnen macht, hat so was auch. Ich bin aber vom Sitzen auf dem Boden befreit mit meinem eingebauten Hüftersatzteil, ich muss dafür beim Bällewerfen doppelt ran. Na ja. Jedenfalls saßen, lagen und lungerten die alle in ihren Schlumperhosen im Gras oder auf ihren Matten um Kirsten herum. Die hielt erst mal einen langen Vortrag über die richtige Atmung, über die Haltung und wie man sich warm macht. Da war nichts Albernes dabei, nein, ich sage Ihnen, ich war regelrecht stolz, dass meine Tochter für die versammelte steife Zeltplatztruppe hier die Vorturnerin machte. Ich betete innerlich einen Rosenkranz, dass das Pony nicht mitturnen musste, aber meine Angst war wohl umsonst, denn Kirsten begann nun allerlei Kunststücke vorzuzeigen. Jede Übung war eine Ananas oder so, ich habe mir das Wort nicht gemerkt. Kirsten zeigte eine Kobra, einen herabschauenden Hund und einen Katzenbuckel. Das ganze Viehzeug hatte eine Übung, und als sie den Zoo durchgeturnt hatte, zeigte sie einen Sonnengruß. Jeder machte mit, so gut er konnte.

Es gab viel Gelächter, wissen Se, die meisten waren ja

nicht so gut trainiert und hatten das erste Mal damit zu tun, aber vieles klappte ganz prima. Ich staunte über die kleine Hupe, die Bijonzie Säwännah. Die war flink und beweglich und hatte große Freude am Sport. Das Mädel brauchte nur ein bisschen Anleitung! Sie war eifrig dabei und ließ vor Eifer die Zunge ein bisschen raushängen. Mutter Hupe versuchte auch alle Übungen. Sie klappten leidlich. Es war für sie schon Sport und Anstrengung genug, wieder vom Boden aufzustehen, wenn man es genau nimmt. Bei der Schulterbrücke war es mit ihr dann vorbei, da war sie an ihrer Grenze. Schulterbrücke ist ein bisschen obszön. Man hockt dabei rum, als würde man gebären, und hebt dann auch noch das Becken an. Das soll die Muskulatur kräftigen, und man kann den Harndrang besser kontrollieren, wenn man das tüchtig übt. So sagt Kirsten.

Aber nicht nur die, auch die Frau im Kurs, in dem ich mit Gertrud mal gewesen bin. Sie kam freudestrahlend an und erzählte, sie habe uns zum Rückenkurs angemeldet. Na, da konnte ich nichts sagen, wissen Se, Rückenschmerzen hat fast jeder mal, da kann ein bisschen Sport zur Kräftigung der Muskulatur nicht schaden. Also bin ich hin mit Gertrud. Mir kam das schon komisch vor, dass alle anderen Teilnehmerinnen so jung und wir beide die einzigen ohne Babyschale waren, aber als die Kursleiterin sich dann als Hebamme vorstellte und Gertrud und mich auf die Seite nahm, war mir alles klar. Gertrud hatte nicht richtig gelesen und Rückbildungsgymnastik für uns gebucht. Wir haben das Geld aber anstandslos wiedergekriegt, und das Fräulein Hebamme hat uns gleich auf die Liste für den Rückenkurs für Omas gesetzt.

Na ja, jedenfalls machte Kirsten jetzt hier die Schulterbrücke vor. Man liegt auf den Schultern, setzt die Füße
auf und hebt das Gesäß. Kirsten zeigte es und zählte
langsam bis zehn. Viele machten mit, manche kamen nur
bis sechs und plumpsten dann zusammen wie ein nasser
Mehlsack, aber das war ja gar nicht schlimm. Auch Frau
Hupe versuchte sich daran. Nun war ihr ganzer Orga-
nismus, der sonst nur in der Hängematte rumlag, die
plötzliche Bewegung nicht gewohnt. In ihr kam alles in
Wallung, weswegen es auch … wie sage ich das bloß? …
weswegen es auch zu Luftbewegungen im Darm kam,
die für alle deutlich hörbar entwichen, kaum dass sie den
Hintern hochgehievt und die Brücke geformt hatte. Es
war einen sehr langen Moment totenstill, und es herrsch-
te betretenes Schweigen. Ich wollte Frau Hupe gerade
zur Seite springen und sie mit »Oh, ich glaube, da ist
die Zeltwand eingerissen, es klang jedenfalls so« aus der
peinlichen Lage retten, aber die kleine Hupe war schnel-
ler. »Ihh, Mama, es stinkt!«, rief sie, und dann wurde viel
gelacht. Alle lachten, außer Frau Hupe. Sie war jedenfalls
so rot im Gesicht, dass man nicht sah, ob sie lachte.

Als Nächstes war Lotussitz dran. Das ist wie Schneidersitz, nur dass man die Schenkel umeinanderwindet.
Frau Hupe hat aber wohl einen Fehler gemacht und sich
die Unterschenkel so verknotet, dass sie nicht alleine
wieder hochkam. Sie plumpste immer zur Seite und fiel
um wie ein Brummkreisel. Nun weiß ja auch niemand,
wie viel von ihrem Schlabbersekt sie den Vormittag über
schon … na ja. Herr Hupe hievte sie an den Schultern
wieder in den Sitz, und Kirsten half, die verkeilten Beine
zu entknoten. Die waren der Frau Hupe nämlich eingeschlafen, und sie hatte gar kein Gefühl mehr drin, nur

einen tauben Kribbel. Sie kroch in gebückter Haltung von ihrer Jogamatte und brauchte für Spott nicht zu sorgen. Kurt war gleich zur Stelle.

»Ich habe auch solche Rückenschmerzen!«, jammerte sie. »Ich kann kaum krauchen. Bestimmt habe ich mir einen Nerv eingeklemmt. Oder es ist ein Hexenschuss.«

Kurt schlürfte an seinem Kaffee und sagte dann: »Das kann gar nicht sein. Die schießen nicht auf ihre eigenen Leute.«

Kurt hatte sich wie Günter Habicht vor dem Turnen gedrückt. Sein Beitrag für das »Joga für den Frieden« war, dass er die Genehmigung erteilt hatte, und auch wenn der Orthopäde mehr davon hatte als der Weltfrieden, war es ein schöner Vormittag.

Dann war es auch schon genug mit dem Joga, Kirsten erwähnte noch kurz ihre Meeresmineralien und dass sie auch Elchsmilch dahätte für nur sechs Euro die Flasche, und dann durften alle gehen und sich gut fühlen vom schönen Joga.

Kirsten machte sich zum Mittag noch einen Smufie aus rohem Brokkoli und gärte in der Mittagssonne vor sich hin. Wissen Se, rohes Gemüse ... da muss man nicht nur als alter Mensch aufpassen!

Sie harkte noch ein bisschen ihren inneren Zen-Garten, und dann war ihr Besuch auch schon überstanden. Sie verlud die Katzenkörbe, reiste mit den dreihundert Euro von der Saldini weiter zu ihrem Schamanenkongress, und zurück blieb das Pony Hubert mit seiner Heilsteinkette. Wir brauchten alle erst mal ein bisschen Ruhe und Erholung nach diesem Tamtam!

Und dann kam der Tag, an dem Ilse verschwand.

Mir wird noch immer blümerant in der Magengegend, wenn ich mich daran zurückerinnere. Wissen Se, man hat ja immer seine Sorgen, dass was passiert. Wie oft haben die bei »Aktenzeichen – Rudi Cerne ermittelt« davor gewarnt, dass man sich nicht alleine rumtreiben soll, erst recht als Frau. Wie viele Anhalterinnen sind nicht schon verschwunden! Ilse und ich gingen immer zu zweit spazieren, einkaufen oder zum Waschhaus, um dem Verbrechen vorzubeugen, und stiegen auch nie in fremde Autos. Kurt als Mann lief auch allein los, jedenfalls wenn Ilse ihn ließ. Er ist ja sowieso so ein Wilder, der gerne ausbüxt und uns Sorgen bereitet. Das sind wir gewohnt. Ob beim Einkaufen oder beim Pilzesuchen – nach spätestens einer halben Stunde ist der Punkt da, wo Kurt verschwunden ist. Manchmal trödelt er einfach und verdruselt es aus Versehen, aber manchmal läuft er auch absichtlich weg. Dann kauft er heimlich Zigarren oder Böller für Silvester oder andere Sachen, die Ilse verboten hat. Das sind wir schon gewohnt, und ich sage Ihnen: Da suchen wir auch nicht mehr groß. Der tauchte bisher immer wieder auf, und so Gott will, wird er das auch in Zukunft. Ilse und ich warten dann am Koyota oder fahren mit dem Bus nach Hause und schnabulieren Eierlikör ohne den ollen Zausel. Bisher ist er immer wiedergekommen!

Aber Ilse? Ilse war noch nie weg! Ilse hat sogar Angst, zu Hause alleine in den Keller zu gehen, selbst da muss Kurt mit. Deshalb war nicht nur ich in größter Sorge, sondern auch Kurt. Er kratzte sich am Kopf und guckte ganz düster. Wissen Se, Gläsers waren in über sechzig Jahren Ehe noch nie länger als acht Stunden getrennt – so lange ein Arbeitstag eben ging, und seit sie Rentner sind, nicht mal das. Ilse ist sogar ins Krankenhaus mitgegangen und hat auf Zuzahlung im Nachbarbett geschlafen, als sie Kurt damals die Bandscheibe rausgemeißelt haben. Das hat ja übrigens derselbe Doktor gemacht, der auch meine Hüfte operiert hat. Doktor Gringe. Eine Kapazität unter den Chirurgen! Man spricht vom Doktor Gringe ja nur als dem »Sauerbruch von Spandau«. Er hat Kurts Bandscheibe genauso tipptopp hingekriegt wie meine Hüfte. Kurt ist sozusagen ein »Messerbruder« von mir. So sagt man doch, wenn man vom selben Arzt operiert wurde? Aber jünger wird selbst der Doktor nicht. Else Hufknecht hat neulich erzählt, er hat Rheuma und darf nur noch operieren, wenn es beim Schneiden nicht so auf den Zentimeter ankommt.

Aber wo war ich? Ilse ... ja. Ilse und Kurt waren noch nie getrennt, und Ilse geht nie irgendwohin, ohne sich abzumelden. Zum Doktor und zum Friseur schoffiert Kurt sie mit dem Auto, und einkaufen fahren wir auch immer zusammen. Wenn Ilse mal auf einen Sprung zur Nachbarin geht, um einen Plausch zu halten, oder wenn sie zu »Tante Emma« um die Ecke huscht, weil eine Kleinigkeit im Kühlschrank fehlt, meldet sie sich ab oder schreibt einen Zettel.

Sie verschwindet nicht einfach so!

Kurt und ich kamen aus dem Waschhaus zurück. Ich hatte die Betten gekocht und geschleudert, und der Waschkorb war doch recht schwer, da musste Kurt anfassen und tragen helfen. Wir hatten jeden Tag ein bisschen Wäsche. Bei sommerlichen Temperaturen schwitzt man doch! Und nicht nur das, wissen Se, auf so einem Zeltplatz hat immer jemand den Grill an. Es gibt Leute, die rösten sich schon zum Frühstück zwei Würste und ein Pfund Bauchspeck, und das geht bis zum Abend hin immerfort durch. Irgendwo kohlt ständig ein Grill, da riecht man ganz automatisch, als hätte man einen Kursus mit Räucherstäbchen bei Kirsten gemacht. Noch dazu Kurt, der ja jedem freudig seine Hilfe beim Feuern anbot. Auch wenn es nicht schmutzig war, mussten Blusen und Leibwäsche abends kurz duchgestukt werden. Das machten Ilse und ich rasch per Handwäsche, wissen Se, mit dieser Waschpaste aus der Tube, die ist ganz prima. Man darf sie nur nicht mit der Zahncreme vertauschen, sonst … aber man kriegt das ausgespült. Und Kurts Hemd duftete frisch und angenehm nach Minze, das ist ja auch was!

Jedenfalls hatten wir eigentlich immer was auf der Leine, die Kurt uns vom Campingwagen bis zur Kiefer rübergespannt hatte. Das war dem Habicht natürlich ein Dorn im Auge. Man konnte es dem Herrn wirklich kaum recht machen, der hatte immer was zu meckern! In seiner Platzordnung stand aber nun kein Wort davon, dass Wäschetrocknen nicht erlaubt wäre. Trotzdem brummelte er uns bei jedem Kontrollrundgang an: »Das Zeuch kommt aber weg, sobald es trocken ist, verstanden?« Ich bitte Sie, was dachte der denn? Dass ich trockene Wäsche auf der Leine hängen lasse? Die Leibwäsche trockneten Ilse und ich sowieso drinnen im Campingwagen, nachdem sich die kleine Hupe, die Bijonzie, so hässlich über unsere Schlüpfer amüsiert hat. Na, diese Blagen wechseln doch heute direkt von der Windel in den Strippenschlüpper und kennen so was wie warme Unterwäsche, die über die Nieren reicht, gar nicht mehr! Dafür haben sie dann aber auch chronisch Blasenentzündung und müssen ständig rennen, auch ohne Wassertabletten.

Na ja. Unsere Leibwäsche trockneten wir also fortan drinnen, aber die Leine war trotzdem oft in Gebrauch. Da ließen uns Ilse und ich aber vom Habicht nicht Bange machen, wissen Se, der war vom Typ Mensch, der immer was zu granteln hatte. Und wenn er nichts hatte, suchte er sich was. Da waren die Blusen auf der Wäscheleine doch ein willkommener kleiner Aufreger, über den er kurz brabbeln konnte. Danach ging er weiter und machte bei den anderen Urlaubern eine Inspektion, ob vielleicht die Antenne zwölf Zentimeter zu weit über die Grenze reichte oder so. Es war ja nun auch nicht so, dass wir den halben Platz mit der Leine bespannt hatten und da die Reklame für den »Weißen Riesen« drehen wollten, meine Güte. Es waren immer nur zwei, drei Blusen und ein Hemd von Kurt, die zum Trocknen hingen.

Außer am Donnerstag, da hatten wir Kochwäsche. Da waren die Betten dran. Das machten Ilse und ich zusammen, auch wenn wir uns sonst bei der Hausarbeit aus dem Weg gingen. Nur weil man auf dem Campingplatz schläft, heißt das ja nicht, dass man unter die Wilden gegangen ist! Man darf schließlich nicht verlottern und sein Leben vor die Hunde gehen lassen. Donnerstags werden die Betten gewechselt, und ich bitte Sie: Wo trocknet es besser als an der frischen Luft? Bei uns in Berlin gibt es einen Startap, der … also, im Grunde gibt es jede Woche neue Startaps. Vor ein paar Jahren hat man noch gesagt: »Da hat eine neue Firma aufgemacht«, das war im Grunde dasselbe. Nur dass die heute alle was im Interweb machen, mit Medien und mit Werbung. Das sagen sie dann noch auf Englisch, damit es kompliziert klingt, und dann sind sie ein Startap. Meist ist es so kompliziert, dass sie ihren Kunden selber gar nicht erklären können, was sie genau machen und wozu das gut ist, deshalb hat es sich nach ein paar Monaten meist erledigt mit Startap. Wenn die nämlich merken, dass sie Miete bezahlen müssen, Krankenkasse und auch Lichtgeld, spätestens dann muss die Spinnerei nämlich Geld bringen. Da sind viele dann schon durch mit dem Ersparten oder dem »Kapital der Investoren«, sprich dem Zuschuss von der Mutti, und müssen zum Vati oder zum Kadi und Pleite anmelden. Na ja. Aber was wollte ich erzählen? Hier in Berlin gibt es eine Firma, die fährt Ihre gewaschene Wäsche raus nach Brandenburg aufs Land und trocknet sie da an der frischen Landluft, weil die spitzgekriegt haben, dass das den Leuten gefällt. Da machen die ein Geschäft draus und kutschen nun die Handtücher und Leibchen von Berlinern, die Sehnsucht nach Landluft haben, raus aufs Dorf und hängen sie da auf die Leine. Das riecht dann ein bisschen nach Wiese, ein bisschen nach Maiglöckchen und ein bisschen nach Kuh. Auf so eine Geschäftsidee muss man erst mal kommen! Nee, die jungen Leute sind verrückt.

Kurzum, wenn die die Laken sogar aus Berlin hier rausfahren, was lag denn da näher, als auch unser Zeuch im Wind wehen zu lassen? Das war dem Habicht natürlich wieder nicht recht, und er probte den Aufstand, aber das war uns egal.

Ilse und ich hatten das Waschhaus inspiziert und festgestellt, dass das alles nicht das Wahre war. Die hatten da wohl schon Waschgelegenheiten, wenn man mal eine Bluse schnell durchspülen will. Wenn etwas nur ein bisschen angeschwitzt ist oder man beim Kuchenessen gekleckert hat, mag das angehen. Man drückt zwei Finger Waschpaste aus der Tube und rubbelt das im Waschbecken schnell durch, und zack! – ist das Malheur behoben. Aber richtig waschen konnte man nicht. Wie gut, dass ich darauf bestanden hatte, den Wecktopf mitzunehmen. Ariane hatte zwar verständnislos geguckt und gemeint, wir sollten Urlaub machen und nicht Bohnen einkochen, aber sie schleppte den Zuber dann doch murrend ins Auto. Sie kennt mich nun auch schon ein bisschen und weiß genau, dass es keinen Sinn hat, mit mir zu diskutieren. Gerade im Sommer, wo man ein bisschen mehr schwitzt, muss man doch die Betten regelmäßig waschen! Wo kommen wir denn sonst hin? Man holt sich Milben und kriegt juckende Stellen. Ich bitte Sie! Das muss doch nicht sein.

Gleich nach dem Aufstehen haben wir also die Betten abgezogen und die Laken abgenommen. Auf der Kochplatte im Vorzelt habe ich im Wecktopf Wasser aufgekocht. Das ging ratzfatz, wissen Se, der Topf ist so groß, dass beide Flammen von unten Feuer gaben. Unsere Bettwäsche war ja auch nicht groß dreckig, also, eine halbe Stunde Kochen reichte da aus. Nach drei Durchgängen waren wir auch schon fertig. Zum Spülen gingen wir ins Waschhaus, und dann kam die Wäsche noch tropfnass auf die Leine. Selbstredend prüfte ich Kurts Knoten, wissen Se, es ist doch nichts ärgerlicher, als wenn die frische Wäsche – kladderatsch! – wieder ins Gras fällt und man die ganze Arbeit noch mal machen muss. Aber lassen Se Kurt schluderig sein und auch blind wie ein Maulwurf, Knoten kann er. Richtig feste Schifferknoten hat er geknüppert, daran hätte man einen Stier anpflocken können, und der hätte eher den Baum entwurzelt, als dass er sich gelöst hätte.

Kaum hatten wir unsere blütenweißen Laken in den Wind gehängt, war der Habicht schon zur Stelle. Er hatte regelrecht Schnappatmung und überschlug sich in seiner Wut. Er musste die Kappe abnehmen und sich den Schweiß abwischen, der gar nicht unbedingt von der Anstrengung vom Rennen auf seiner Stirn perlte, sondern vielmehr vor Aufregung. »So geht das nicht. Frau Bergmann! Frau Gläser! Wir sind hier … wir haben eine Ordnung. Es gibt Regeln. Die sind wie Gesetze! Wenn das jeder machen würde?«, brach es aus ihm heraus.

Ein Stinkstiefel konnte der manchmal sein, der Habicht, pah! Saubere Bettwäsche ist ein Menschenrecht! Selbst der Habicht musste das einsehen, und nachdem Ilse seine beste Mähkraft auf dem Trecker geworden war, war der ab dem zweiten Donnerstag schon ganz stille.

Kurt und ich waren kaum eine Viertelstunde weg und trafen mit dem frisch gewaschenen Bettzeug wieder am Campingwagen ein – da war Ilse nicht mehr da. Sehen Se, das war doch die eigentliche Geschichte, die ich Ihnen erzählen wollte. Da können Se nichts sagen, eine Renate Bergmann läuft vielleicht im Kreis, aber verirren tut se sich nie! Ich rief jedenfalls nach Ilse, dass sie beim Aufhängen hilft, aber es kam keine Antwort.

Würde sie – was ungewöhnlich um die Zeit wäre – ein Nickerchen machen, hätte man die Gardine wackeln sehen, und man hätte es auch mit den Ohren vernommen. Wir suchten überall, aber auch wenn Ilse eine zierliche Dame ist: So groß ist so ein Wohnmobil nicht, dass sie da viel Gelegenheit hätte, sich zu verstecken. Keine Ilse weit und breit! Und ihr Händi lag ordentlich auf dem Tisch. Kurt war erst sehr ruhig und meinte, wir warten mal ab, vielleicht ist sie austreten. Aber erstens hätten wir sie sehen müssen, und zweitens war ihr Kulturbeutel mit der Rolle rosa Toilettenpapier da. Sie wäre nie ohne ihre persönliche Rolle gegangen.

Wir suchten alles ab, aber kurzum: Ilse war weg. Sie ist eine kleine Oma, jawoll, aber trotzdem übersieht man eine Dame von eins sechzig doch nicht einfach. Wenn Kurt weg gewesen wäre, ja, da hätte man nicht lange suchen müssen. Seinen stinkenden Zigarrenstumpen riecht man über Kilometer hinweg, aber Ilse? Kurt guckte sogar in der Besucherritze vom Bett nach, aber auch da fand er nur ihr spitzenumhäkeltes Taschentuch. Immerhin war das eine Spur. Wenn es hart auf hart käme, könnten wir die Suchhunde daran schnüffeln lassen. Aber so weit war es noch nicht, ich war dafür, erst mal abzuwarten. Wer weiß, vielleicht hatte sie wen getroffen und sich verschwatzt? Das ist uns doch schließlich allen schon passiert. Ilse hatte auch nichts auf dem Herd, da kann man doch ruhig mal ein paar Worte wechseln mit einer netten Bekanntschaft im Waschhaus oder vielleicht am Büdchen. Vielleicht hatte sie die Saldini getroffen? Bei Hupes war sie nicht. Wir machten den Wagen erst mal dichte und gingen Ilse suchen.

Wenn die beste Freundin und geliebte Ehefrau abgängig ist, muss man wenigstens mal gucken.

Vielleicht war sie auch nur wieder mit dem Rasentraktor vom Habicht unterwegs? So gerne, wie Ilse mit dem Ding umhertuckelte, war ihr das zuzutrauen, dass sie einfach die Zeit vergessen hatte. Der Habicht nutzte das auch ganz frech aus, wenn Se mich fragen. Manche Tage stellte er das Gerät einfach bei uns an der Parzelle ab und rief: »Frau Gläser, der Schlüssel steckt! Wenn Sie Lust haben, können Sie bei den Dauercampern mähen, da steht das Gras knöchelhoch!« Ilse ist auch keine, die einem was abschlagen kann, und deshalb fuhr sie ihre Runden, obwohl sie manchmal gar keine Lust darauf hatte. Sogar unseren Ausflug mit dem Tretboot mussten wir verschieben, weil Ilse noch die Brennnessel am Drosselweg mähen musste, denken Se nur!

Der Trecker stand aber neben Günter Habichts Büro in der Mittagssonne. Es war ja auch Ruhezeit, da durfte gar nicht gemäht werden. Trotzdem fragten wir nach. Günter hatte Ilse an dem Tag jedoch noch nicht gesehen, sagte er. Ich blinzelte ihn prüfend an und musterte seine Reaktion ganz genau, aber es war nichts Verdächtiges an ihm auszumachen. Warum sollte er Ilse auch entführt haben? Das machte gar keinen Sinn. Wer klaut schon eine Oma? Vielleicht wenn einer Appetit auf frische Kartoffelpuffer hat – aber die hätte Ilse ihm doch mit Freuden auch so gebraten, freiwillig und ohne Kittnäpping!

Ach, ich sage Ihnen, wir waren ganz durch den Wind. So langsam wurde mir auch mulmig. Kurt und ich suchten den ganzen Zeltplatz ab, wir marschierten sogar um den kleinen See und guckten im hohen Gras und auch an der Uferböschung. Was, wenn Ilse was passiert war? Ich meine, wir sind zweiundachtzig Jahre alt, da kann einem schon mal schwummerig werden, und der Kreislauf kann spinnen erst recht bei der Hitze! Wer weiß, ob Ilses Beine überhaupt richtig durchblutet waren unter ihrer dicken Schicht Sonnenmilch. Da kam doch gar keine Luft an die Waden! Ach, man kommt ja von einer Angst in die nächste, wenn man sich Sorgen macht.

Kurt wurde immer stiller. Er sagt ja schon nicht viel, wenn Ilse da ist – na ja, eigentlich, *weil* Ilse da ist, sie lässt ihm nicht viel Raum zum Reden, verstehen Se –, aber jetzt war er komplett stille. Er verfiel in eine große Traurigkeit. Die Uhr ging auf eins, als wir zum Wohnwagen zurückkehrten, und ich versuchte Kurt aufzumuntern: »Bestimmt sitzt Ilse wieder in ihrem Stuhl im Vorzelt und schimpft uns aus, wo wir uns rumtreiben, Kurt, warte nur ab.« Aber Ilse war nicht da. Unser Wagen war leer und ilsefrei, sozusagen. Ich schielte rüber zum Heckfenster, aber die Gardine hing schlaff und müde runter. Keine schnarchende Ilse.

Ich machte uns erst mal eine Suppe warm. Man muss schließlich bei Kräften bleiben! »Hochzeitssuppe Bäumel, April 2014« stand auf der Tupperbüchse. Mhhh. Ich erinnerte mich gut an die Hochzeit, der Kleine von Bäumels hatte die Tochter von Bäcker Siedenbruck geheiratet, es hatte in Strippen geregnet an diesem Tag im Mai. Ich hatte schon Angst, alle Gäste würden großen Appetit auf eine heiße Suppe zum Durchwärmen haben, aber sie hatten reichlich gekocht, und ich hatte meine Büchse nicht umsonst in der Handtasche. Das war nun schon ein Weilchen her, aber eingefroren hält sich das doch!

Während ich also im Vorzelt am Campingkocher den Bäumelschen Eisklumpen in eine prächtige Hochzeitssuppe verwandelte, lief Kurt den Hauptweg nervös auf und ab wie Norbert, wenn Gertrud ihn vor der Kaufhalle anbindet. Kurt suchte nach seiner Ilse, ach, es zerriss mir fast das Herz. Sie konnte doch nicht einfach spurlos verschwunden sein! Allerdings war sie gerade ein paar Stunden abgängig, da brauchten wir noch nicht bei der Polizei antanzen. Ich kenne die Herrschaften doch, die erzählen einem was darüber, dass Ilse über achtzehn ist (das stimmt!), dass sie nicht entmündigt ist und sich frei bewegen darf und dass es kein Gesetz gibt, was sie verpflichtet, sich beim Gatten und erst recht nicht bei Renate Bergmann abzumelden. Man weiß das doch. Wenn man »Täter-Opfer-Polizei« regelmäßig verfolgt, kennt man sich auf allen Gebieten der Kriminalistik aus, nicht nur in Sachen Enkeltrick. Es gab ja auch keine Hinweise auf ein Verbrechen. Wenn wir nun eine Blutspur gehabt hätten, oder der Wohnwagen wäre verwüstet gewesen, ja, dann wären die Kommissare gekommen. Aber so?

Kurt zog den Löffel nur lustlos und ohne rechten Appetit durch die Zähne. Er litt wie ein Hund. Dabei hatte ich die schöne Suppe noch mit frischer Petersilie aus Frau Hupes Blumenkasten aufgehübscht. »Kurt, du musst was essen. Du bist keine Hilfe, wenn du uns bei der Hitze noch abklappst, weil du nichts im Magen hast. Komm, wenigstens einen Teller! Wir müssen Ilse suchen, und da brauche ich dich bei Kräften und nicht wackelig auf den Beinen und knapp vorm Kreislaufkoller!«

Diesen Ton war Kurt von Ilse gewohnt. Der Mann braucht klare Kommandos, dann löffelt er auch seine Suppe.

Wir ließen das schmutzige Geschirr ausnahmsweise stehen und liefen wieder rüber zum Habicht-Büro. Er musste uns bei der Suche helfen, wissen Se, der kannte sich doch hier aus und wusste vielleicht was.

Der Habicht saß hinter seinem schweren hölzernen Bedienungstresen am Schreibtisch und schrieb gerade die Temperaturen und Niederschläge in ein Buch. Das schreiben die hier alles auf, warum auch immer. Das Büro war überraschend aufgeräumt. Das lag aber nicht am Günter, sondern an der flotten Studentin, die nachmittags für ein paar Stunden kam und alles in den Computer klopfte, was der Habicht den Tag über auf Zettel notiert hatte. Er weigerte sich, diese »Affenmaschine«, wie er immer sagte, anzufassen. Die ganze Planung machte er im Kopf. Der Habicht wusste genau, wer auf welchem Stellplatz kampierte, wie lange der blieb, wer der Nachbar war und wen er auf keinen Fall danebenstellen durfte. Was meinen Se, was manche ältere Herrschaften für Sperenzchen machen, weil sie sich nicht leiden können! Da muss nur eine Frau vor Jahren mal den gleichen Badeanzug gehabt haben wie die Nachbarin, und schon ist da Krieg. Das hatte der Habicht alles im Kopp und platzierte die Gäste so, dass es kein Theater gab. Aber da die Buchhaltung ja stimmen muss, schrieb er alles auf kleine Zettel. Die Jenny, so hieß das jungsche Ding, war ein zackiges Mädel, was sich nicht auf langen Schwatz einließ, sondern in ein paar Stunden alles in die Maschine kloppte. Ab und an sah man sie nach dem Habicht brüllend über den Platz rennen, das war dann, wenn sie seine Handschrift nicht lesen konnte. Da regte sie sich immer furchtbar auf, die Jenny, hihi! »Mein Wellensittich ist mal durch Tinte gerannt und hat dann zu Roland Kaiser auf einem Blatt Papier getanzt. Das konnte ich besser lesen als Ihr Geschmiere hier, Herr Habicht!«, kanzelte sie ihn einmal ab, als sie ihn bei Ilse am Rasentrecker antraf.

Ach ja. Ilse. Wegen der waren wir ja hier, ich will Sie nicht mit langen Abschweifungen langweilen, aber ich muss Ihnen ja erklären, wie es im Büro aussah, nicht wahr? Sie müssen ja über alles Bescheid wissen, damit Sie es sich gut vorstellen können!

Was soll ich Ihnen sagen: Der sonst so olle Stiesel war sofort mit dabei bei der Suche. Kurt brummelte, dass er den Koyota nicht hier hatte. Mit dem Auto hätten wir jetzt die Gegend abfahren können. Aber der Habicht war gefällig. Er machte eine Durchsage per Platzfunk. Da sagte er sonst nur das Wetter an und schrie ab und an, wer die Musik leiser machen soll, und er sagte einmal im Monat durch, wenn der olle Jockel Knurrhahn mit dem Auto losfährt. Er drückte auf einen Knopf, es leuchtete ein Lämpchen auf, und dann sprach er mit ernster, knorriger Stimme in sein antikes Standmikrofon: »Frau Gläser bitte, Frau Ilse Gläser … Ihr Mann sucht Sie. Bitte melden Sie sich im Büro der Zeltplatzleitung.« Das klang wie im Schwimmbad, wo se immer die Kinder suchen. Die kleinen Racker sind oft so aufgeregt vom Toben in der Wasserrutsche, dass sie vergessen, ob die Mutti nun einen grünen oder einen blauen Badeanzug anhat, und dann stehen se plärrend beim Bademeister, und der nuschelt dann genervt »Die kleine Sophie sucht ihre Mami« oder so was in die Sprechvorrichtung. Bademeister sind *immer* gelangweilt und angenervt, ist Ihnen das schon mal aufgefallen? Die empfinden es als eine Störung, wenn man sie anspricht, weil man zum Beispiel

Hilfe mit der Schwimmnudel braucht. Sobald die ihren Blick von den knackigen Hintern der jungschen Dinger wenden müssen, reagieren die schnodderig. Der Habicht jedoch war ganz sachlich, da konnte man nicht meckern.

Als nach zehn Minuten – so viel Zeit musste man ihr geben mit dem steifen Knie – noch immer keine Ilse bei uns aufgetaucht war, machte Günter Habicht erneut eine Durchsage. Trotz Mittagsruhe! »Hier spricht der Platzwart Günter Habicht. Eine Camperin wird vermisst. Wer hat Ilse Gläser, Stellplatz Drosselweg 32B, gesehen? Frau Gläser ist …«

»zweiundachzig!«, rief Kurt in die Ansage rein.

Er beugte sich dabei rüber zum Habicht und biss fast in das Mikrofon.

Der Habicht drehte das Mikrofon wieder zu sich ran und guckte ein bisschen ängstlich, als würde er befürchten, Kurt isst es ihm weg.

»Frau Gläser ist zweiundachtzig Jahre alt, einen Meter sechzig groß und zierlich gebaut. Sie trägt Rock und Bluse in … Beige«, fuhr er nach ganz kurzem Zögern fort. Woher er das wohl wusste? Steckte er doch hinter der Entführung? Das war doch Täterwissen! Ich war ganz aufgeregt, das kann ich Ihnen sagen. Den würde ich gleich zur Rede stellen. Aber erst ließ ich ihn seine Durchsage fertig machen.

»Wer hat Frau Gläser gesehen? Wer kann Angaben machen, wo sie geblieben ist? Melden Sie sich umgehend hier im Büro der Zeltplatzleitung.«

Dann ließ er den Sprechknopf los, stand auf und guckte aus der Türe raus. Alle waren aus ihren Zelten, Caravans oder Campingwagen gekommen und spitzten die Ohren. Respekt hatten se vor ihm, das muss man schon sagen. Man konnte aber nur Schulterzucken und ratlose Gesichter sehen, niemand machte sich auf den Weg zu uns ins Büro.

Das konnte doch nicht wahr sein, Ilse konnte doch nicht einfach so verschwunden sein!

»Schade, dass Ihre Tochter nicht mehr da ist, Frau Bergmann«, sagte der Habicht, »die hätte Frau Gläser doch mit ihrer Wünschelrute im Nu aufspüren können. Hat sie nicht Wasser in den Beinen?«

So eine bodenlose Respektlosigkeit! Der ungehobelte Kerl hatte keinerlei Manieren! Kurt hatte schon die Faust geballt, weil er das nicht auf seiner Ilse sitzen lassen wollte. Ich konnte ihn gerade noch besänftigen, indem ich das Thema wechselte.

»Woher wissen Sie eigentlich, was Ilse anhat? Das haben wir Ihnen nicht gesagt!«, fühlte ich dem Habicht auf den Zahn. Ich ergriff ihn am Unterarm und schaute ihm wieder prüfend in die Augen.

Er hielt dem Blick stand und sagte nur wie selbstverständlich: »Keine Dame über achtzig hat je was anderes als Beige in allen Tönen getragen. Ob nun Schnitzelbeige oder Eierschale, ist doch egal, oder nicht?«

Mhh. Ich schaute an meinem Complet aus sandfarbenem Rock, elfenbeingetönter Bluse und mandelbeigen Schuhen runter und war ganz stille. Er hatte wohl recht. Das war kein Beweis, dass er der Kittnäpper war.

Keiner kam mit einem Hinweis. Niemand hatte Ilse gesehen? Das konnte doch nicht wahr sein! Also, jetzt bekam ich es aber richtig mit der Angst. Kurt nickte entschlossen und sprach: »Wir müssen sie suchen, und zwar richtig. Alle. Wie geht dieser Sprechapparat hier, was muss ich drücken?« Er presste den Zeigefinger auf den

Knopf, rückte mit der anderen Hand die Brille gerade und setzte zur Durchsage an. Zunächst gab es ein lautes Knarzen, aber das machte wenigstens alle wach. Dann erklang Kurts Stimme über den ganzen Campingplatz.

»So. Nun müssen wir was tun. Meine Frau ist weg, wir müssen suchen. Die kann ja nicht einfach so vom Erdboden verschluckt werden, da muss man was machen. Wer mithelfen kann, kommt zum Büro.«

Kurz und knapp, kein »Bitte«, aber so ist unser Kurt eben. Es nahm auch keiner für krumm, im Gegenteil. Innerhalb weniger Minuten waren wohl drei Dutzend Camper vor Günter Habichts Büro erschienen und bereit, Ilse zu suchen. Ach, als ich die vielen Leute sah, fasste ich schon wieder ein bisschen Zuversicht. Alle, die nicht im See schwammen, einen Ausflug machten oder in der Hängematte Schundromane lasen, fanden sich zur Suche ein.

Ja, ich habe erst überlegt, ob ich es bei einer dezenten Anspielung belasse, aber ich schreibe es ganz deutlich: Nicht alle suchten mit. Frau Hupe blieb in ihrer Hängematte und machte sich über die zweite Lage in ihrer Pralinenschachtel her. Und das als Nachbarin! Der Anstand hätte es doch wohl geboten, dass sie sich der Suchmannschaft angeschlossen hätte. Aber Anstand ist ein Wort, das der Dame fremd war. Die hing in der Sonne und garte vor sich hin. Auch Kurt, der sonst immer noch eine Lanze für sie gebrochen hatte und sie in Schutz nahm, wenn Ilse und ich die hausfraulichen Qualitäten dieser Person infrage stellten, schüttelte den Kopf. »Wir müssen die wirklich umdrehen, damit die sich nicht wund liegt!«, brummte er verächtlich. Die kleine Hupe übte derweil auf der Blockflöte. Das machte mich ganz verrückt, wissen Se, erst recht in einer Situation, wo die Nerven sowieso schon blank lagen.

Wenn Ilse nun doch was passiert war? Wenn Entführer sie in Gewahrsam hatten und sie gefesselt im Keller hielten? Kurt und ich überschlugen, was wir auf den Sparbüchern hatten, falls eine Lösegeldforderung gestellt würde. Bei mir war es nicht viel, wissen Se, ich hatte doch Stefan und Ariane alles, was ich besaß, zum Hausbau beigegeben. Ich hatte mein Nachlasssparbuch – die Beerdigung ist im Voraus bezahlt, jawoll, aber die müssen ja auch die Wohnung auflösen und solche Sachen. Mit den paar Kröten konnte man Erpresser wohl nicht überreden, Ilse wieder rauszugeben. Kurt rückte nicht recht mit der Sprache raus, wie viel Gläsers auf der hohen Kante haben. Über Geldangelegenheiten spricht man eben nicht, nicht mal unter allerbesten Freunden. Es musste aber ein erkleckliches Sümmchen sein, denn immerhin trugen sich Gläsers mit dem Gedanken, ein neues Auto zu kaufen. Der Koyota ist eins a in Schuss, wenn Se mich fragen, aber Kurt hat doch zunehmend Probleme mit dem Schalten. Deshalb will er was mit automatisch und mit Strom. Die modernen Fahrzeuge sind ja alle mit Elektro, aber ich glaube, da sind noch viele Fragen offen. Was ist zum Beispiel bei Regen? Wenn das Fahrzeug Strom führt, was ist dann, wenn Wasser drankommt? Man will doch nicht nur bei schönem Wetter fahren! Denken Se sich nur, man hat einen Termin beim Augenarzt – da wartet man ja gern mal ein halbes Jahr drauf –, und dann regnet es, und man kann nicht los? Das sollen sich Gläsers mal gut überlegen.

Aber Ilse hat eh den Daumen drauf auf dem Sparbuch und rückt das Geld nicht für spinnerten Kram raus, sondern nur wenn sie auch davon überzeugt ist, dass es gut angelegt ist. Ilse ist so eine würdige, weise Dame, die bescheiden auftritt und wirkt, als müsste man sie unterhaken und ihr über die Straße helfen. Aber sie hat es faustdick hinter den Ohren! Man sagt ja immer: »Stille Wasser sind tief«, und bei Ilse gilt das. Sie entfaltet ihre Wirkung eher aus dem Stillen, verstehen Se? Nach vorne hin lächelt se einen an mit ihrer Goldrandbrille, aber im Hintergrund zieht se die Strippen und hat so die Hand nicht nur auf dem Sparbuch, sondern auf alle Vorgänge in der Familie. Gut, beim rosa Toilettenpapier hat sie nicht aufgepasst, aber wer rechnet auch schon mit so was?!

Ach ja. Ilse. Wenn se nun aber verschwunden blieb? Wie Frau Bummel-Schulte, die damals einfach wie vom Erdboden verschluckt von einem Tag auf den anderen nicht mehr da war. Damals munkelten manche, dass sie in den Westen abgehauen ist, was man bei Ilse aber ausschließen konnte. Die Mauer ist ja nicht mehr. Es gab auch andere, die ihrem Mann zutrauten, dass der sie damals ... wie sagt man? ... beiseitegeschafft hatte. Seinerzeit rückte sogar die Kripo an und grub den Garten um, aber sie fanden nichts. Das konnte ich in diesem Fall aber auch ausschließen, Kurt hatte nämlich ein wasserdichtes Alibi: MICH. Wir waren zusammen im Waschhaus. Ach, Sie ahnen gar nicht, was mir alles für Gedanken durch den Kopf schossen. Ich war fix und fertig, und noch dazu das Geflöte von Säwännah Hupe!

Es ging nun schon auf die Vesperzeit zu, aber weder Kurt noch mir war nach Kaffee und Kuchen. Langsam begann ich zu verzweifeln, aber die Angst wurde wettgemacht von dem Erstaunen, wie die anderen Camper alle bei der Suche mithalfen. So was habe ich lange nicht erlebt. Beim Hochwasser damals vielleicht, als alle Sandsäcke vollschippten und wir alten Damen den Helfern Verpflegung brachten. Hackepeterschrippen und Käsestullen! So war das hier auch wieder, und Günter Habicht vorneweg. Er übernahm das Kommando wie ein Admiral und teilte ein: Wer ein Auto hatte, den schickte er die Feldwege absuchen. Er hatte eine große Karte ausgebreitet auf einem Campingtisch vor dem Büro und kullerte mit dem Kuli alles in der Umgebung ein, das man über einen Weg, und war er auch noch so schlecht, erreichen konnte. Um den Campingplatz malte er einen großen Kreis. »Weiter weg kann sie nicht sein. Hier irgendwo in diesem Gebiet muss sie sich verlaufen haben.« Er ging einfach davon aus, dass Ilse sich verirrt hatte! Im Grunde ist es ja eine Frechheit, dass der so was unterstellte, nur weil Ilse alt war. Wir Omas werden ja oft als ein bisschen plemme im Oberstübchen hingestellt. Eine Unverschämtheit! Aber im Fall von Ilse … Ilse kann rechts und links nicht unterscheiden. Das bringt die immer durcheinander. Da hatte der Habicht nicht ganz unrecht, auch wenn es nichts mit dem Alter zu tun hatte. Ilse konnte das schon als junge Frau nicht auseinanderhalten. Man muss im Grunde dankbar sein, dass sie nie die Fahrerlaubnis gemacht hat. Würde Kurt nicht einfach ignorieren, was sie ihm während der Fahrt immer rüberruft, ich sage Ihnen, wir wären schon so manches Mal auf einer Verkehrsinsel gelandet mit dem Koyota.

Na ja. Wie auch immer. Ich war froh, dass sich was tat und gesucht wurde. Ilse musste wieder her, da muss man eben auch in Kauf nehmen, dass der Habicht in den Raum stellte, sie wäre ein verwirrtes Mütterchen, das sich im Wald verlaufen hatte. Günter Habicht teilte die Suchtrupps so ein, dass er jedem Camper mit Auto einen Einheimischen zur Seite stellte.

»Karte hin oder her, wer hier geboren wurde, kennt die Schleichwege und die Botanik doch besser als die, die den Atlas malen!«, sagte er bestimmt. »Und stellt zwischendurch auch mal den Motor aus und sperrt die Ohren auf, vielleicht ruft sie um Hilfe!«, brüllte er den Suchmannschaften noch nach.

»Und wenn Sie Sägegeräusche aus dem Wald hören, gucken Sie nach, vielleicht macht sie ein Nickerchen«, wollte ich noch beifügen, aber ich biss mir auf die Lippen und verkniff es mir.

Die Zelter ohne Auto schwärmten sternförmig zur Suche aus. Sogar die jungen Leute waren dabei, und zwar vorneweg! Ach, wie oft wird geschimpft auf die »Jugend von heute«, aber meine Erfahrung ist, dass es bei den Alten genau wie bei den Jungen solche und solche gibt. Die meisten jungen Leute sind nett, zuvorkommend und denken weiter als so manch Betagter. Das hat natürlich auch damit zu tun, dass sie noch ein Stückchen mehr Zukunft haben als wir Alten. Jedenfalls sind die drei Mädels, die vor zwei Tagen mit ihrem Zelt angereist waren, gleich losmarschiert. Die Marie kam sogar noch mal zurück – da dachte ich schon, sie hätte eine Spur – und holte eine Flasche Wasser.

»Wenn wir Frau Gläser finden, hat sie doch bestimmt Durst!«, rief sie aufgeregt und schnappte sich eine große Flasche.

Ilse trinkt aber keins mit Kohlensäure, da muss sie so aufstoßen, dachte ich noch bei mir, aber darauf kam es wohl nicht an. In der Not frisst nicht nur der Teufel

Fliegen, und die Wurst schmeckt ohne Brot, nein, in dieser schlimmen Situation würde Ilse wohl auch einen Schluck Wasser mit Blubber drin trinken können! Ja, das Mädchen hatte mitgedacht. Man muss viel trinken, wenn es warm ist, und als ältere Dame erst recht. Irgendein schlauer Mensch hat mal ausgerechnet, dass man mindestens zwei, besser drei Liter Wasser am Tag trinken soll, und olle Leute ganz besonders, weil die sonst innerlich verdörren. Es geht dann ganz schnell, dass einem düselig wird und man wackelig auf den Beinen daherkommt. Sie ahnen ja nicht, wie oft Menschen mir im Sommer mahnend zurufen: »Denken Sie dran, dass Sie viel trinken!« Nicht nur Krankenschwestern, nee, auch wildfremde Leute. Die Kassiererin in der Kaufhalle hat das schon zu mir gesagt, und sobald das Thermometer über fünfundzwanzig Grad geht, kann ich davon ausgehen, dass Kirsten anruft und auch Stefan und Ariane und fragen, wie es mir geht bei der Hitze, und mich dann gleich daran erinnern, viel zu trinken.

Ich koche mir Tee, wissen Se, nur Wasser ist mir auf die Dauer zu schlabberig. Ich bin ja keine Ente. Nee, gleich morgens nach dem Aufstehen mache ich mir eine große Kanne Pfefferminztee oder Früchtetee, immer abwechselnd. Pfefferminztee darf man nicht so viel, wissen Se, der stopft. Den trinke ich den Tag über und dazu natürlich auch noch Wasser. Da habe ich auch immer eine kleine Flasche einstecken, schon damit die Leute beruhigt sind. Wenn einer zu seinem Vortrag ansetzen will, winke ich nur kurz mit der Flasche, und dann ist in der Regel Ruhe. Es sei denn, ich vergreife mich in der Handtasche und winke mit dem Kornfläschchen, das gibt dann verwirrte Blicke.

Mitten in den ganzen Trubel platzte auf einmal die Hupe mit lautem Gebrüll. Was wohl passiert war, dass sie sich freiwillig aus ihrer Hängematte gerollt hatte? Sie stampfte keifend auf uns zu. »Weg ist es. Es stand hinterm Wagen im Schatten. Gestohlen! Das Rad war teuer!« Die Frau war aufgebracht und warf die Informationen wütend in die Runde, nicht in einer logischen Reihenfolge, sondern so, dass man die Puzzlestückchen erst mal zusammenlegen musste, um sich ein Bild zu machen.

Offenbar hatte man ihr das Elektrofahrrad gestohlen. Ilse war weg und das Stromfahrrad von der Hupe, zu dem Ilse schon immer rübergeschielt hatte, ebenso. Die würde doch wohl nicht einen Ausflug gemacht haben?

Ich guckte zu Kurt rüber. Wir hatten wohl beide den gleichen Gedanken.

»Komm! Renate«, sagte er, »ich weiß, wo sie ist. KOMM!«

Während die Hupe laut lamentierend den Habicht über ihr verschwundenes Fahrrad ins Bild setzte und die ganze Aufmerksamkeit auf sich zog, konnten wir unbemerkt zu unserem Wohnmobil rübergehen. Dabei wäre der Diebstahl nun wirklich ein Fall für die Polizei gewesen und nicht für den Platzwart, aber uns spielte das ganz gut in die Karten, wenn das Ganze hier ohne offizielle Ermittlungen abging.

»Renate, rück den Schlüssel raus«, sagte Kurt bestimmt und schaute mich fordernd an.

»Was für einen Schlüssel?«

»Stell dich nicht dumm, den für das Wohnmobil. Wir müssen ins Dorf.«

Durfte ich da noch zögern? Es war nun wirklich ein

ausgesprochener Notfall. Versprechen hin oder her, das würden Stefan und Kirsten verstehen müssen, denen ich sozusagen mit Blut hatte schwören müssen, dass Kurt das Gefährt keinen Meter bewegt. Ich holte also den Zündschlüssel aus meinem Versteck – der dritte Geranientopf von links, nur einen neben dem, unter dem Ilse den Wohnwagenschlüssel versteckt hatte (hihi!) – und drückte ihn Kurt in die Hand.

Große Güte, ja. Es gab ein paar Verluste, um das vorwegzunehmen, aber schließlich ging es um Diebstahl und, was noch wichtiger war, um das Verschwinden einer älteren Dame! Was zählen da schon ein abgerissenes Vorzelt und runtergefallene Geranienpötte? Daran hatte ich in der Aufregung auch nicht gedacht, das muss ich zugeben. Und die Hängematte von Frau Hupe war nicht belegt, die ließ sich einfach wieder anbinden. Die Leute auf dem Hauptweg konnten sich alle mit einem Sprung retten. Wenn Jockel Knurrhahn mit Else auf der Hutschbank zum Einkauf fährt, gibt es nicht weniger Aufregung, und das jeden Monat. Es ging darum, Ilse zu finden, das war das Wichtigste. Da musste man ein paar Kollateralschäden in Kauf nehmen.

Kurt kam jedenfalls überraschend gut mit dem Wohnbus zurande. Er schaltete, als wäre er nie einen anderen Wagen gefahren! Die Scheibenwischer bekamen wir auch alsbald wieder aus, und Kurt setzte sogar den Blinker, bevor wir von der Hauptstraße abbogen Richtung Drömershagen. Es war menschenleer, noch leerer als sonst. Selbst die paar Hansels, die an normalen Tagen zu Hause waren, hatte es auf den Campingplatz gezogen. Sie waren alle mit den Suchmannschaften unterwegs, sogar Horst-Herbert und Brigitte. Günter Habicht hatte ganze Arbeit geleistet und wirklich *alles* rangeordert, was nicht bei drei auf dem Baum war.

Kurt brachte den Wagen vor dem Pfarrhaus zum Stehen. Parken würde ich das nicht nennen, sagen wir mal, er hörte gerade rechtzeitig auf zu fahren vor dem Bumms. Wir kletterten beide raus, was sich schwierig gestaltete. Was meinen Se, wie hoch das Ding war! Man musste drei Stufen runter. Rein war es vorwärts gegangen, aber raus musste man rückwärts und sich dabei festhalten und noch umfassen. Machen Se das mal mit einer operierten Hüfte! Auch Kurt hatte zu kämpfen, aber wir schafften es. Immerhin ging es um Ilse, da nahmen wir allen Mut und alle Kräfte zusammen. Ich schaute am Wohnmobil entlang und sah, dass unser Einstiegstritt und das Geländer die rasante Fahrt halbwegs überstanden hatten. Dem Vorzelt war es nicht so gut ergangen. Ein paar Stangen vom Gerüst klapperten noch, und wenige Stückchen Stoff baumelten vom Dach runter. Die Antennenschüssel auf dem Dach saß eins a fest, aber hinten, über dem Ersatzrad, hing ein Klappstuhl.

Ich richtete mir gerade notdürftig die derangierte Frisur und mahnte Kurt, den Kragen von seinem Polohemd zurechtzuzupfen, da hörten wir eine hohe, ängstliche Stimme: »Kurt! Renate! Hier bin ich!«

Ilse fiepte aus dem Schatten hinterm Pfarrhaus. Na, die Freude und Erleichterung können Se sich kaum vorstellen, dass wir sie gesund und munter wiedergefunden hatten! Wenigstens war sie so geistesgegenwärtig gewesen, sich in den Schatten zu setzen. Während Kurt seine Ilse abwechselnd ausschimpfte und liebkoste, versuchte ich, mit dem Händi den Habicht anzurufen und Entwarnung zu geben. Das war schwierig, weil es im Dorf ja nur ganz schlechtes Netz gab. Ich hatte aber Glück und erwischte den Satelliten, wie er gerade vorbeiflog und zwei Brocken Information mitnahm, so viel zumindest, dass das Telefon von Günter Habicht schellte. Es gab für einen ganz kurzen Moment eine schlechte Verbindung, aber es reichte, um ihm zuzubrüllen, dass wir sie gefunden hatten. Ich rief so laut, wahrscheinlich hat er es auch so verstanden, ohne Telefon.

Also, was war geschehen? Während Kurt und ich das Frühstücksgeschirr im Waschhaus abspülten und die fertige Bettwäsche aus dem Topf holten, überkam Ilse die Neugier. Seit Tagen schon war sie bewundernd um das I-Beik von der Hupe rumgeschwirrt wie eine Wespe um den Zuckerkuchen. »Denk nur, Renate, es hat keine Stange, sondern einen tiefergelegten Einstieg. Man kann auch mit Rock damit fahren!« Ganz begeistert war se. Nun, wo Kurt und ich weg waren, Säwännah Bijonzie vom Vati Schwimmunterricht im See bekam und Frau Hupe in ihrer Hängematte eingenickt war, erschien ihr die Gelegenheit günstig, sich einfach mal das Gefährt zu schnappen und eine kleine Runde zu probieren. Ilse hatte seit *Jahren* auf keinem Fahrrad mehr gesessen, wissen Se, sie hat es so schlimm im Knie, aber mit der versprochenen Unterstützung durch den Elektro traute sie es sich zu. Es ging wohl auch ganz prima, sagte se. Am Anfang war sie noch ein bisschen wackelig, aber vorne auf der Landstraße schaltete sich der Strom zu, und sie sauste strahlend vor Begeisterung vor sich hin. Sie kam so zügig voran, dass sie übermütig wurde und bis zum Pfarrgarten fuhr, wo sie gucken wollte, wie weit die Äpfel wohl nun waren. Sie kam da auch wohlbehalten an. Ilse stellte das Tretmoped hinterm Pfarrhaus ab und machte sich eifrig an den Äpfeln zu schaffen. Als sie ihre beiden Falls-Beutel – kennen Se Falls-Beutel? Eigentlich heißen die wohl Faltbeutel oder auch Falzbeutel, aber bei uns sagen wir nur Falls-Beutel, weil man sie immer dabei hat, *falls* es mal was gibt –, als Ilse sie jedenfalls voll hatte, wollte sie mit dem Stromtreter wieder los zum Zeltplatz, aber da war dann die Batterie leer.

Ilse hatte doch keine Ahnung, wie man das wieder auflädt. Die vom Fernseh-Fernbediener, die sie in der Handtasche hatte, passten nicht. Außerdem war es brütend heiß geworden. Mit normalem Treten traute Ilse sich nicht zu, den Weg zurück zum Zeltplatz zu schaffen, das Knie war dicke. Also machte sie sich auf von Haus zu Haus und läutete. Da allerdings alle unterwegs waren, um *sie* zu suchen, machte überhaupt keiner auf, nicht mal die Steinwessels. Die Einzige, die zu Hause war, war eine sehr alte, bettlägerige Dame, die Ilse für die Neue vom Pflegedienst hielt. »Die Tür ist auf, kommen Sie nur rein, Fräulein«, rief sie Ilse mit dünner Stimme zu, und dann setzte sie die Lesebrille auf und fragte erstaunt: »Haben die das Rentenalter schon wieder hochgesetzt? Wie lange müssen Sie denn noch arbeiten, Schwester?« Ilse musste fast ein bisschen lachen, als sie uns die Geschichte erzählte. Die Oma hatte aber auch keine passenden Batterien für das Fahrrad, und so ging Ilse zurück zum Pfarrhaus. Sie traute sich nicht, das Fahrrad so lange unbeaufsichtigt zu lassen. Nicht, dass am Ende das geklaute Rad noch geklaut wurde! Dort saß sie, die Dorfstraße im Blick, unter der Eiche auf der kleinen Bank und lauerte auf den Pflegedienst. Ihr Händi hatte sie, wie es sich gehört, ordentlich im Wohnwagen liegen und meine Nummer nicht im Kopp. Sonst hätte sie von der darniederliegenden Oma ja angerufen, sagte se. »Aber ich drücke doch immer nur Meine ›Renate‹ und wähle keine Nummer, wenn ich dich anrufe!«, brachte sie schluchzend raus, »die weiß ich doch nicht!«

Geben Se es zu, das ist bei Ihnen genauso!

Alles Lamentieren nützte jetzt sowieso nichts, wir würden Ilse schon noch den Kopf waschen. Aber erst mal verlud Kurt die Rennmaschine von Hupes in unseren Schlafwagen, Ilse kletterte vorne in den Bus. Als wir ein kleines Stück gefahren waren, telefonierte ich noch mal Günter Habicht an und gab ausführlicher Bericht. »Das soll sie Ihnen mal selbst erzählen, Herr Habicht, wir sind in ein paar Minuten zurück auf dem Platz. Rufen Se die Suchmannschaften zurück, Frau Gläser ist wohlbehalten wieder da!« Ich guckte vorwurfsvoll zu Ilse rüber, die bei »Suchmannschaften« erschrocken zusammenzuckte.

Verdient, wenn Se mich fragen!

Kurt kam bei der Rückfahrt nicht so gut mit dem Schalten zurecht, ach, das Getriebe knarzte ein paarmal! Als wir auf den Zeltplatz auffuhren, bestanden Ilse und ich auf Schritttempo. Es musste ja nicht noch mehr passieren, also wirklich! Es waren wohl an die hundert Personen, die Spalier standen und uns zuwinkten. Ilse strahlte wie Herzogin Käte von England. »Die haben dich alle gesucht, Ilse. Ist dir eigentlich klar, was du hier angerichtet hast?« Kurt brachte das Gefährt an seinem Platz wieder zum Halten, es passte halbwegs, mehr konnte man nicht erwarten. Vater Hupe winkte ihn ein, das mit der genauen Ausrichtung konnte man später regeln.

Wir kletterten aus dem Campingbus, Kurt und Herr Hupe luden das Elektrofahrrad aus, und Ilse überreichte es mit einer Entschuldigung der Frau Hupe. Die Säwännah Bijonzie blies derweil auf ihrer Flöte »Meine Oma fährt im Hühnerstall Motorrad«. Ich weiß nicht, ob das ein Zufall war oder ob das Kind das mit Absicht machte, aber ich musste schmunzeln.

An dem Tag mussten wir erst mal zur Ruhe kommen. Herr Hupe und Günter Habicht brachten unser Wohnmobil auf die richtige Parkposition und fummelten auch die Antenne wieder zurecht. Ich nahm den Zündschlüssel an mich und überlegte mir ein neues Versteck. Die Geranien waren ja verwüstet. Die Männer richteten die Reste vom Vorzelt, so gut es ging, und knoteten auch die Hängematte von Frau Hupe neu an. Ach, meine Geranien hatten sehr gelitten! Eine war abgebrochen, und zwei waren so zerzaust nach dem Sturz, dass ich kaum Hoffnung hatte, die wieder aufpäppeln zu können. Die hätte ich auch gleich der Frau Meiser zur Pflege überlassen können in Spandau, schlimmer hätte sie sie auch nicht zurichten können! Wir hatten alle unser Tun und Ilse vorneweg. »Ilse, du hast dich bei einer Menge Leute zu bedanken und zu entschuldigen. An deiner Stelle würde ich mir meine Gedanken machen!«, mahnte ich meine Freundin, die aber von ganz alleine ein schlechtes Gewissen hatte. Sie war erst bei dem Habicht und dann bei der Hupe, jeweils bald eine halbe Stunde. Die muss denen ordentlich Honig um die Mäuler geschmiert haben, es kam jedenfalls kein großes Donnerwetter nach.

Ich machte derweil Ordnung im Wohnauto. Sie machen sich ja kein Bild, wie das aussah! Die Betten waren verrutscht, das Geschirr, unsere ganze Wäsche ... alles lag kreuz und quer durcheinander. Es sah bald aus wie bei der Meiser, wenn sie am Sonnabend bei offenem Fenster (immerhin!) ihre Wohnstube saugt, nur dass wir keine Schipsschüsseln und Sektflaschen rumliegen hatten, dafür aber halb abgerolltes rosa Toilettenpapier.

Wissen Se, es war so eine Aufregung, dass ich mir einen kleinen Korn außer der Reihe genehmigen musste, um wieder zur Ruhe zu kommen. Genau in dem Moment, als ich ihn eingoss, kam Ilse zurück aus Canossa. Ich guckte sie, so streng ich konnte, an.

»Was hast du dir bloß dabei gedacht, Ilse?«, sagte ich seufzend.

»Das fragst du mich nun schon zum dritten Mal, Renate. Nun lass es aber auch mal gut sein!«, brummte sie mich an, während sie zum Hängeschränkchen mit den Gläsern ging. Sie nahm sich ein Saftglas, stellte es vor mir auf den Tisch und sagte: »Gieß mir mal auch einen ein, Renate. Aber nur einen ganz kleinen!«

Na, da blieb mir aber der Mund offen stehen. Ilse trank sonst höchstens eine halbe Weinschorle zum Essen, nie einen Korn.

»Renate … ich weiß auch nicht, was über mich kam. Es war zu verlockend. Ich wollte schon immer eine Probefahrt machen, und Herr Hupe hat zu mir gesagt, ich kann das Rad jederzeit nehmen. Nun war die Gelegenheit günstig, du und Kurt wart im Waschhaus – ich wollte doch keine Zuschauer! –, und Frau Hupe schlief in ihrem Hängenetz. Selbstverständlich hätte ich Herrn Hupe Bescheid gegeben, aber er war mit dem Kind am See. Und ich wollte doch nach den Kläräpfeln gucken … warte, wo sind die eigentlich?«

Ilse stieg die Trittleiter runter und stützte sich am notdürftig wieder angeschraubten Geländer ab. Sie wühlte vorn im Fahrerhäuschen ein bisschen rum und kam mit zwei großen Taschen voller Äpfel wieder.

»Guck nur, Renate!«, strahlte die Gute über das ganze Gesicht. »Davon mache ich uns einen schönen gedeckten Apfelkuchen, und die madigen schneiden wir aus und kochen Apfelmus. Nur schade, dass wir keine Weckgläser hier haben …«

Wissen Se, ich glaubte das kaum: Wir waren knapp einem Polizeieinsatz entgangen, »Radio Dünengras« hatte nach Ilse gefahndet. Bald eine Hundertschaft an Freiwilligen vom Campingplatz hatte nach ihr gesucht. Unser Wohnwagen sah aus wie von Baader und Deinhard in die Luft gesprengt, wir alle waren fix und fertig von der Aufregung, und was tat meine Freundin? Die saß vor mir mit zwanzig Pfund geklauten Äpfeln aus dem Pfarrgarten und schmiedete Pläne über das Einkochen!

Darauf brauchte ich noch einen zweiten Korn. Schließlich kann man auf einem Bein nicht stehen, erst recht nicht im losen Mahlsand auf dem Zeltplatz. Sonst hüpfte man noch einbeinig rum wie Herr Hupe mit seinem Socken, oder was?

Wir haben sehr lange gesprochen an dem Abend. Sogar Kurt sagte was. Wir machten Ilse ganz deutlich, dass das so nicht in Ordnung war und dass wir uns große Sorgen gemacht hatten. Herr Hupe hatte herzhaft gelacht, das Stromfahrrad kritisch geprüft (da war aber kein Kratzer dran!) und wieder frisch aufgeladen, damit war für ihn die Sache erledigt. Die Spielhöllen-Carina hatte sich auch wieder beruhigt. Ilse hatte sie mit zwei Stücken Cremeschnitte besänftigt, na, und beim Habicht hatte

Ilse sowieso einen Stein im Brett. Der war regelrecht in seinem Element gewesen, als er die Suchtrupps befehligen konnte, und war fast traurig, dass es so schnell vorbei war.

Trotzdem. Wir hatten nun unseren Ruf weg. Ich hörte Herrn Saldini telefonieren, als ich rüber zum Wachhaus lief und die runtergefallenen Teller abwusch: »Die Alte aus dem Tabbert mit den Geranien, die, die immer mit dem Rasentrecker hier rumbrummt, die ist heute mit dem E-Bike von der Dicken aus der Hängematte ausgebüxt. Was meinst du, was hier los war! Alle mussten suchen, bei der Hitze … es hätte ja sonst was passiert sein können. Die ist über achtzig! Aber sie hat sich wieder angefunden. Ihr ist der Akku leer gelaufen. Der olle Knochen, von dem ich dir erzählt habe … ja, der, der überall die Grills anmacht und sich freut, wenn es Stichflammen gibt … ja, genau … der ist mit dem Wohnmobil losgeschossen, obwohl er eigentlich gar nicht mehr fahren darf! Wir konnten alle nur noch zur Seite springen. Herrlich, ich habe noch nie so gelacht. Nee, passiert ist nichts, aber wir hatten unseren Spaß. Mal sehen, was sie als Nächstes aushecken, die haben noch so eine Alte dabei, die jeden Tag Fenster putzt. Es ist wie Ohnsorg-Theater auf dem Campinglatz, sag ich dir.«

So wurde über uns geredet, denken Se sich nur! Kurt meinte, wir können nun nichts mehr dran ändern, sondern sollten die letzte Woche einfach so gut rumbringen, wie es eben ging. Wir hofften, dass uns der Habicht nicht vom Platz warf, aber wir hatten alles im Voraus bezahlt. Im Grunde konnte der uns gar nichts. Ich las noch mal seine strengen Regeln der Zeltplatzordnung und konnte keinen Paragrafen finden, der Damen über achtzig das

Fahrradfahren verbot. Ilse meinte, wir sollten uns keine Sorgen machen, den Habicht hätte sie im Griff.

Sie schlug vor, dass wir uns bei der Rettungsmannschaft am Sonnabend mit einem kleinen Grillfest bedanken sollten. Wir würden Kartoffelsalat machen, und Kurt würde für alle ein Würstchen oder ihretwegen auch eine koschere, wegane Hallali-Scheibe ohne Gluten grillen. »Dazu machst du deine Bowle und spielst uns ein bisschen gemütliche Tanzmusik aus deinem Telefon, Renate!«, blühte Ilse geradezu auf. »Wir hängen hier ein paar Lampions auf, ach, das wird prima! Gleich morgen laden wir alle ein. Wo ist das Briefpapier?« Ilse begann sogleich eine Einladung zu schreiben:

Werte Campingplatzbewohner,

ich bin ganz überwältigt, wie viele von Ihnen bei der Suche dabei waren, als ich eine Panne mit dem Rad hatte. Dafür möchte ich mich, auch im Namen meines Mannes und von Frau Bergmann, recht herzlich bedanken. Wir wollen Sie deswegen alle zu einer kleinen Zusammenkunft einladen, und zwar am Sonnabend ab 17 Uhr. Es wird Bowle geben, Würstchen vom Grill und ein bisschen nette Musik. (leise! Und wir stellen sie auch spätestens um 22 Uhr aus!)

Wir freuen uns sehr über Ihr Kommen.

Ilse Gläser

Drosselweg 32B (der Tabbert mit den Geranien am Vorzelt)

Das mit der leisen Musik hatte ich eingefügt, wissen Se, wir mussten den Aushang ja vom Habicht genehmigen lassen, und ich dachte, so geht das glatt durch. Der machte auch keine großen Anstalten, sondern brummte nur zustimmend und nickte dann. »Dann machen Sie mal, aber wehe, es liegt mir hinterher Pappgeschirr umher, oder es sind Kippen im Gras!« Er ist eben ein grober Klotz und kann es nicht besser ausdrücken, aber im Grunde genommen bedeutete das auf Habichtsprech: »Das ist eine wunderschöne Idee, ich wünsche Ihnen viel Freude und komme auch gerne.« Der Habicht machte einen Stempel auf Ilses Büttenbrief und unterzeichnete mit »Aushang genehmigt, Habicht«.

Ilse marschierte stolz rüber zu Hannelores Büdchen und pinnte den Zettel an den Fensterladen, direkt neben die Zeltplatzordnung. So konnte es jeder sehen.

Na, Sie ahnen ja nicht, was da losbrach!

Wir hatten im Grunde genug zu tun an dem Tag. Es war der Freitag vor unserem kleinen Fest, da musste nicht nur der Kartoffelsalat gemacht werden (der muss gut durchziehen!), sondern wir mussten auch mit dem Scheff und Mann von der Büdchen-Hannelore reden. Der musste uns Sonderpreise machen für die Würstchen und für das Bier, wissen Se, es war gar nicht einzusehen, dass wir drei Rentner mit schmalem Salär da Kioskpreise bezahlen sollten. Wir wussten ja nun, dass der auch einen Laden im Dorf hatte und da zu ganz anderen Preisen verkaufte als hier draußen. Ich wollte dem klarmachen, dass wir ja nicht seinen Einkaufspreis wollten, er sollte schon seine Unkosten reinkriegen. Die Ladenpreise vom Dorf, die akzeptierte ich, unter der Bedingung, dass er uns die Bestellung anlieferte frei Haus – oder besser gesagt, frei Zelt, hihi! – und übrig gebliebenes Bier wieder zurücknahm. Kurt hustete kichernd. Ja, da war ich wohl etwas einfältig. Dafür würden die Männer schon sorgen, dass da nichts übrig blieb! So war der Schlachtplan, aber noch ehe ich beim Kaufmann anrufen konnte, klopfte es an der Wohnwagentür.

»Klopf-klopf, ich bin's!«, rief eine Frauenstimme. Es

war die Saldini. »Morgeeeen!«, flötete sie, obwohl es schon fast elf war. Es klang nicht ganz so schlimm wie das »Morgileiiin«, mit dem die Berber immer die Meiser begrüßt im heimischen Hausflur. Das kann ich gar nicht ertragen, da würde ich am liebsten mit dem Schrubber dazwischengehen!

»Was für eine schöne Idee mit dem Grillfest!«, merkte Frau Saldini an, »da würde ich mich gern beteiligen. Ich mache einen Nachtisch, ein Tiramisu. Das ist gar keine Mühe, ich mache das sehr gern. Das wird immer gern gegessen.«

Ilse und ich guckten uns an. Wir hatten zwar keine Ahnung, was dieses Samitaru sein sollte, aber wenn es den jungen Leuten schmeckte – warum nicht? Hätte ich da schon gewusst, dass das mit rohen Eiern gemacht wird – bei dieser Hitze! –, ich wäre entschieden dagegen gewesen, aber so … Wir freuten uns und dankten Frau Saldini, die kaum aus dem Vorzelt war, als die Hupe vor der Tür stand. Sie zuppelte sich erst ihre beschmadderte Jockeyhose und dann den BH-Träger zurecht und bot dann auch an, etwas mitzubringen. »Mixed Pickles! Die kann man prima zu Gegrilltem essen!«, sprach sie überzeugt. Nun gut, sollte sie ihre gemischten Pickel eben auch hinstellen. Je bunter so ein Fest, desto schöner.

So ging es den ganzen Tag in einer Tour langhin. Alle Nase lang kam einer und erzählte, was er noch mitbringen wollte. Wir verloren so langsam den Überblick, das sage ich Ihnen ganz ehrlich. Ilse schrieb nun eine Liste und notierte Namen und was die Person beisteuern wollte. Bei Nudelsalat hatten wir am Anfang nicht gut aufgepasst und lagen nun schon bei drei Anmeldungen. Ilse konterte von da an mit Gegenvorschlägen: »Bringen

Sie doch einfach ein paar Flaschen Bier mit. Darf ich sechs notieren?« Parallel dazu strich ich nach und nach immer mehr von meiner Einkaufsliste.

Auf einmal hörte ich Kindergekicher. Nun tobten ja die ganze Zeit hier kleine Bälger umher, aber diese Stimmen …

»Nanu, Renate?«, dachte ich bei mir, »die kennst du doch, das ist doch … aber es kann eigentlich gar nicht sein!« Ich schob die Gardine am kleinen Seitenfenster beiseite und sah – tatsächlich! Lisbeth und die kleine Agneta tobten auf unseren Wagen zu. Drüben beim Habicht standen Stefan und Ariane. Der Habicht deutete in unsere Richtung und machte weit ausladende Bewegungen mit dem Arm. Stefan hielt sich die Hand vors Gesicht, so wie einer, der nicht glauben kann, was er da hört. Ariane hingegen lachte schallend auf. Na, da hatte unser oller Campingplatzaufseher bestimmt schon alles ausgeplaudert, und die beiden waren im Bilde, was Ilses Eskapade betraf.

Ich richtete mir leidlich die Frisur – wissen Se, nach nun über zwei Wochen hier auf dem Platz wäre Ursula mit Waschen und Legen ganz dringend nötig gewesen – und kletterte unseren Einstiegstritt runter.

»Eine richtige Gangway habt ihr ja, mein lieber Mann«, staunte Ariane und begrüßte mich lachend mit einer herzlichen Umarmung. Stefan drückte mich ebenfalls herzlich, aber er guckte auch ein bisschen mahnend. »Ich kann kaum glauben, dass Frau Gläser dieses Mal den fetten Bock geschossen hat und nicht du«, sagte er grinsend und winkte Ilse mit dem Zeigefinger rüber.

Ja, da war ich fein raus! Ich nutzte die Gunst der Stunde und sprach das mit dem Autoschlüssel gleich an. »Stefan, jawoll, ich hatte es versprochen, dass Kurt nicht fährt, aber es war wirklich ein Notfall. Was hätten wir denn tun sollen? Und es ist auch kaum was kaputt gegangen.«

Stefan machte kein großes Aufheben mehr wegen der Geschichte, wissen Se, Ilse war schließlich wieder da, und alle waren gesund und munter. Der Zweck heiligt die Mittel, heißt es doch so schön. Aber gut, dass ich gleich gebeichtet hatte, so war das erledigt. Ich kenne doch meine Familie, wenn man so was nicht sofort ehrlich anspricht, kommt es irgendwann aufs Tablett, wenn man es überhaupt nicht brauchen kann. So wie damals, als Ariane im Beisein vom Herrn Pfarrer die Geschichte erzählte, wie ich Gertrud ein bisschen verklappst habe beim letzten Fasching.

Gertrud hatte gut von der Bowle genommen, sehr gut, genau genommen, und tanzte mit Ewald Kutzer, dem ollen Schwerenöter. Später kam sie freudestrahlend mit einem Zettel von der Toilette und gab damit an, sie hätte den unter dem Träger von ihrem Büstenhalter gefunden. Sie war Feuer und Flamme und glaubte, der Kutzer hätte ihr seine Nummer beim Tanzen druntergeschoben. Es war aber ein kleiner Faschingsspaß von mir, hihi … Gertrud merkte das am nächsten Tag, als sie freudig die Nummer wählte und sich nicht Ewald Kutzer meldete, sondern der Pflegedienst Kowalski. Ach, was habe ich gelacht! Aber die Geschichte hätte nicht auf den Tisch gehört, als der Herr Pfarrer dabei war. Da hat Ariane einfach kein Gespür.

Na ja. Aber wo war ich?

Ach so. Die jungen Leute! Passen Se auf, es war so: Stefan hatte Ariane zum Hochzeitstag nun doch überrascht und auf einen Ausflug an die Ostsee eingeladen. Sie sind mit den Kindern hoch ans Meer gefahren, wissen Se, von Berlin aus ist man mit dem Auto ja in nicht mal drei Stunden da. Na, wenn Kurt fährt vielleicht auch fünf oder sechs, aber auf jeden Fall ist es nicht weit. Sie waren zwei Nächte in einem hübschen Hotel, hatten am Strand gelegen und mit den Mädchen im Sand gebuddelt, sie hatten gebadet und sich segelnde Gummiteller zugeworfen. »Soooo große Wellen waren da, Oma Nate!«, kriegte sich Lisbeth vor Begeisterung kaum ein. »Und wir haben Papa im Sand verbuddelt, bis nur noch der Kopf rausguckte!«

»Sie sind halt noch klein und bringen die Dinge nicht zu Ende«, sagte Ariane, aber sie meinte es im Spaß, denn sie küsste Stefan mit einem Funkeln in den Augen.

Richtig glücklich und verliebt sahen die beiden aus, ach, mir wurde ganz wohlig ums Herz. Am Hochzeitstag hatten sie romantisch im Bett gefrühstückt, erzählte Ariane. Die Mädchen waren wohl in aller Herrgottsfrühe schon in die hoteleigene Verwahranstalt marschiert. Kennen Se dieses Bällebad im Möbelhaus? So was in der Art hatte das Hotel wohl auch, da musste eine Aushilfs-Schlode mit den kleinen Geistern Eierlauf machen, Bilder malen und aus Knetmasse Katzen formen, damit die Eltern mal ihre Ruhe hatten.

Stefan hatte auf der Gitarre »Das Kompliment« für Ariane gespielt. Es wäre sehr schön gewesen, sagte sie, und Stefan betonte gleich wieder, dass ich unter keinen Umständen der Frau Schlode davon erzählen dürfe. Ich kannte das Lied erst nicht, aber als Lisbeth dann vorsang:

»Ich wollte dir nur mal eben sagen,
dass du das
Größte für mich bist«

– doch, da kam es mir bekannt vor. Ich hatte das auch schon mal gehört. Lisbeth sang das wirklich nett und drängelte: »Los, Papa, sing noch mal!«, aber Stefan zierte sich und wand sich wie eine Pilauke.

Lisbeth und Agneta fanden den Hochzeitstagsausflug zur Ostsee großartig und genossen die drei Tage Auszeit am Meer genauso wie Ariane und Stefan. Na, und auf dem Rückweg machten sie ihre Drohung wahr und hielten zur Inspektion bei Tante Renate.

Wir plauderten bei einer Tasse Kaffee im Vorzelt ein bisschen, während Ilse mit den Mädchen Gänseblümchen pflückte und ihnen zeigte, wie man Kränze flicht. Die Kinder waren reineweg verrückt danach, und auch Ilse genoss es sichtlich. »Meine Enkel sind schon viel zu groß, Renate, von denen hat man gar nichts mehr!« Der Jonas, was der Bengel von Gläsers Sohn Michael ist, hat nun schon eine kleine Freundin, denken Se nur! Bei so jungen Leuten weiß man ja nie, ob sie sich nur die Hörner abstoßen und wie lange das geht, aber da das Mädchen aus gutem Hause kam, arbeitete Ilse daran, die Verbindung vorsichtig offiziell zu machen. Sie hatte das Kind sogar als Tischdame für Jonas zu ihrem Geburtstag eingeladen. Ich bitte Sie, das war ein ganz deutliches Zeichen und ein wichtiger Schritt, die Beziehung öffentlich zu machen und das Kind in die Familie aufzunehmen.

»Die Kleinen sind so goldig«, schwärmte Ilse, während sie ihnen ihre Käferautobahn erklärte. Nach ein paar Tagen vor Ort hatten wir nämlich mehr Gekräuch und Raupen unter dem Holzplatten-Fußboden im Vorzelt, als der Habicht mit seinen Insektenhotels und den ollen Brettern am Waschhaus je anlocken konnte. Es krabbelte, wohin man schaute. Eines Morgens hatte sich sogar ein kleiner schnarchender Igel hierher verirrt! Für den waren die Käfer ja ein Festmahl. Ilse baute dem krabbelnden Getier kleine Fluchtwege, die sie mit Zweigen flankierte, auf denen sie sich in Richtung Wald vor dem gefräßigen Igel in Sicherheit bringen sollten. Für den waren die Viecher ja nun ein prächtiges Frühstück auf dem Präsentierteller. Manche Käfer schafften es in den Wald, manche wurden Igelmahlzeit, so ist die Natur nun mal. Wir waren die Käfer jedenfalls los. Der Igel bekam aber kein Schälchen Milch, wie Ilse es ihm eigentlich geben wollte. Nein, das ist gar nicht gut für Igel, davon kriegen die Durchfall, und die Schweinerei will nun wirklich niemand im Vorzelt, mal ganz abgesehen davon, dass das Tier leidet. Kurt trug das satte Igelchen jeden Morgen ein Stück weiter Richtung Wald, und Ilse harkte ihre Käferautobahn, so hatten sie ihr Tun. Lisbeth und Agneta bekamen das nun alles von Ilse erklärt. Kurt schloss sich dem Heimatkundetrupp an und dozierte, in welchem Nistkasten welcher heimische Singvogel brütete.

Alle paar Minuten kamen nach wie vor Camper vorbei, die mir in Vertretung für Ilse freudig erzählten, was sie zum Grillfest mitbringen wollten. Ich kam kaum mit meiner Liste hinterher.

Wissen Se, die neuen Zeiten machen mich fertig. Wenn wir früher ein Fest gemacht haben, wurde eingeladen, und fertig war die Schose. Man hat gefragt, ob es klappt, und entsprechend Essen und Trinken eingekauft, und es wurde schön gefeiert. Irgendwann ging es dann los, dass ein paar Gäste angeboten haben, einen Nachtisch oder einen Nudelsalat mitzubringen. Das haben wir auch durch, damals, als ich mit Franz verheiratet war. Der hat immer, wenn er von Kollegen eingeladen wurde, versprochen: »Meine Frau bringt auch einen Nachtisch mit.« Na, da stand ich dann in der Küche und habe Schokoladenpudding gekocht oder feine Zitronenspeise. Mir ging das damals schon gegen den Strich, aber man kann so eine Entwicklung ja nicht bremsen, wenn alle anderen den Quatsch mitmachen. Wie oft saßen wir um die Tafel und hatten zwei oder drei Schüsseln Pudding, weil es nicht richtig abgesprochen war. Und dann ging natürlich das Vergleichen los, welcher Pudding wohl besser schmeckte. Wissen Se, mit meinem Rezept, nach dem Sahne und gehobelte Blockschokolade aus dem Kolonialwarenladen an den Pudding kamen, musste ich mich nie verstecken und habe jede Verkostung gewonnen (Gertrud hat immer schon Puddingpulver aus der Tüte angerührt und hatte Pelle drauf!).

Trotzdem, wenn der Gastgeber die Speisefolge richtig plant, passieren solche Pannen nicht, sondern es wird gereicht, was auch zusammenpasst. Na ja. Bald später haben die Gastgeber direkt bei den Gästen bestellt, was sie beisteuern sollten. Da stand dann auf der Einladung: »Liebste Renate, dein Kartoffelsalat ist immer ein Gedicht. Was wäre es für eine Freude, wenn du eine kleine Schüssel für sechs Personen zu unserem Fest beisteuern könntest?« Na, das war doch eine nette Bitte, und gleichzeitig wusste man klar, was man zu tun hatte. Die Gastgeberin hatte den Überblick, und es gab ein schönes Menü.

Damals gab es auch schon Leute, die kein Fleisch wollten. Die haben eben eine doppelte Portion Kartoffelsalat genommen oder ließen sich schnell ein Rührei machen. Die kamen aber irgendwann auf den Geschmack und richteten sich allerlei Krams vom Kompost zu Salat an und schleppten das zum Grillabend mit. Damit war dann das Chaos da. Heutzutage bringt jeder selber mit, was ihm schmeckt, und im Grunde fällt es überhaupt nicht auf, wenn Sie als Gastgeber gar nichts machen, außer den Tisch zu decken. So kam ich mir vor mit meiner Liste, auf der ich notierte, strich und korrigierte, wer was mitbringen wollte.

Ariane lachte und sagte, ich solle das ganz schnell aufgeben und die Leute einfach machen lassen. »Bei so was kommt nur Chaos raus, Tante Renate. Du planst und gibst dir Mühe, und am Ende hast du von allem viel zu viel, und keiner blickt mehr durch. Was meinst du, was im Kindergarten immer los ist, wenn die nur ein Frühstück organisieren. Hier, guck mal«, sprach sie und kramte ihr Händi raus. Das ihrige hatte keine angebissene Tomate hintendrauf, aber es war auch vorne mit Glasscheibchen. Die Geräte sind im Grunde ganz einfach zu bedienen, aber auch wenn es keinen Knopf mehr gibt, ist die Hürde für Kurt zum Beispiel einfach zu hoch. Wenn man auf der Rückseite wischt, passiert nämlich gar nichts! Ja, ja. »Tausendmal berührt, tausendmal ist nichts passiert«, kann man da nur sagen. Stefan, der beruflich mit Computern arbeitet, sagt, jetzt als Vater erkennt er gewisse Parallelen zwischen kleinen Kindern und alten Leuten, die mit Schmartfon zugange sind:

»Wenn was kaputt ist, sagen sie alle: ›Ich habe nichts gemacht, das war schon so.‹«

Arianes Wischgerät sah innen jedenfalls genauso aus wie meins. Sie tippste ihren Whotzäpp an und zeigte mir, wie die jungen Muttis und Vatis sich da … aber lesen Se selbst. Man kann ja den Whotzäpp nicht in das Buch fotografieren, deshalb habe ich es für Sie abgetippt, passen Se auf und halten Se sich fest:

Die haben Gruppen, wo die ganzen Muttis und Vatis miteinander schreiben – man glaubt es nicht. Es gibt eine wichtige Gruppe, wo sie reinschreiben, wenn eins von den Mäuschen Läuse hat oder sie ein Geschenk für Frau Schlode zum Geburtstag organisieren oder wer Elternvertreter werden soll. Für das Gruppenfrühstück gibt es eine Extragruppe, weil das immer länger diskutiert wird. Die Leute heißen da alle schon anders, sie haben nur Vornamen und danach in Klammern der Name des Kindes, von dem sie die Eltern sind. Und dann machen se immer noch kleine Bildchen hinter die Nachrichten. Das kann ich Ihnen hier nicht nachmalen, aber ich schreibe einfach, was da steht, Sie verstehen das dann schon.

Jens (Mia): Liebe Miteltern, am Dienstag ist wieder Gruppenfrühstück. Bitte denkt daran! Wir geben Nudelsalat mit.
Schüsselchen, gelbes Gesicht mit Herzchen in den Augen, gelbes Gesicht mit Zunge raus
Wibke (Luis): Ich hoffe, er ist mit Vollkornnudeln und Gemüse und ohne Majonäse. Sonst kann Luis den nicht essen – ihr wisst, er hat eine Weißmehlallergie. Es wäre schön, wenn darauf Rücksicht genommen würde.
Zeigefinger, Engelchen, blaues Herz

Anja (Ronja): Ronja bringt Gemüsesticks mit.
Hüpfende Paprika, traurig guckende Gurke, tanzende Ananas

Gudrun (Michael): ich gebe ein Glas hausgeschlachtete Leberwurst mit.

Wibke (Luis): Gudrun, das ist jetzt nicht dein Ernst, oder? Bedenke doch bitte, dass einige Kinder vom Elternhaus zu einer ausgewogenen, gesunden Ernährung angehalten werden und wir den Hang zur Adipositas nicht noch fördern möchten.

Gudrun (Michael): *Nachricht wurde gelöscht*

Lena (Helen): Meine Tochter bleibt an dem Tag zu Hause. Ich möchte nicht, dass sie von Gudruns Fettbrockenwurst isst. Wir hatten beim letzten Mal die Kinderheilpraktikerin aufsuchen müssen, die eine Belastung der Galle diagnostizierte.
Pflaster, Spritze, Tablette, Krankenwagen

Wibke (Luis): Ist die Majonäse selbst gemacht oder aus dem Glas? Jens, es wäre schön, könntest du die Inhaltsstoffe angeben. Wenn Konservierungsstoffe drin sind, darf Luis das nicht essen.

Jens (Mia): hier ist das Rezept (Foto)

Wibke (Luis): Anja, achtest du bitte darauf, dass das Gemüse auch Bio ist? Wir wollen doch wohl alle nur das Beste für unsere Kinder.
Herzchen, Engelchen tanzt, gefaltete Hände

Torben (Fenja und Ronja): Ich mache gern die Schildchen für das Büfett: Halal, koscher, vegan, glutenfrei, ohne Konservierungsstoffe.
Schildchen, Schildchen, Schildchen

Wibke (Luis): Jens hat immer noch nicht beantwortet, ob es nun Vollkornnudeln sind. Luis darf kein Weißmehl, das ist doch bekannt, von daher fände ich ein bisschen Rücksicht angemessen.

tanzendes Engelchen, das mit den Schultern zuckt

Anja (Ronja): essen denn Annalena, Frau Stein und der Praktikant auch wieder mit? Ich finde, die Elternvertreter sollten das noch mal ansprechen, dass die Erzieher sich mit einem Beitrag am Frühstück beteiligen sollten, wenn sie mitessen.

Geldschein, Münze, tanzendes Fragezeichen

Jens (Mia): ICH HABE DOCH DAS REZEPT GESCHICKT

Wibke (Luis): Das Format kann ich nicht öffnen. Und schrei mich bitte nicht an!

Zeigefinger, Gesicht mit einer Träne, Gesicht weint

Ariane (Lisbeth): Ich gebe ein Glas Mehrfruchtmarmelade von der Freundin meiner Tante mit. Da müsste man oben den Schimmel ablöffeln, aber sonst ist die prima.

Ariane (Lisbeth) hat die Gruppe verlassen.

Ich fand das recht schade, denn nun konnte man nicht mehr lesen, wie es weiterging. Ariane sagt, Wibke redet nun nicht mehr mit ihr, und Luis darf nicht zu Lisbeths Geburtstag kommen. Ihr ist das aber egal, sagt se, sie hat es eh lieber, wenn Lisbeth sich mit normalen Kindern umgibt und sie nicht am Kindergeburtstag noch Kirsten zum Kochen einfliegen lassen muss, weil der Luis nur Körner darf.

Ariane hat Lisbeth einfach zwei Klappstullen und ein paar Apfelspalten mitgegeben zu dem Kindergarten-frühstück. Sie sagt, »die Weiber da haben alle einen an der Klatsche«, und Lisbeth soll einfach ihre Stulle tau-schen, wie sie es früher auch schon gemacht hat. Ach, ich mag das Mädelchen. Eine gute Frau hat sich Stefan da ausgesucht. Ariane ist geradeheraus, sagt einem ins Gesicht, wenn ihr was nicht passt, und macht keinen Schischi mit. Sicher, ich würde mir wünschen, sie hätte ein bisschen mehr eine häusliche Ader und würde sich auch mal ums Einwecken kümmern oder von alleine mal draufkommen, dass die Betten gewaschen werden müssen (da muss ich schon mal einen Hinweis geben …), aber im Grunde ist das Kind prima geraten. Die steht mit beiden Beinen im Leben, hat ein bisschen Haare auf den Zähnen und lässt sich nichts gefallen. Nee, da kann man zufrieden und dankbar sein, dass Stefan sich die Ariane ausgesucht hat. Sie erzieht die Mädchen, also die Lisbeth und die kleine Agneta, auch zu mutigen Kindern, die sich durchsetzen und nicht verhätschelt werden. Die müssen nicht sofort die Hände desinfizieren, wenn sie mal Katerle gestreichelt haben, trotzdem werden aber vor dem Abendbrot die Finger gewaschen. Verstehen Se, was ich meine? Es ist alles eine Frage des gesunden Maßes, und das hat die Ariane prima im Griff.

Unsere kleine Lisbeth ist ein Schelm, ein regelrechter Strolch. Unser kleiner Sonnenschein! Faustdicke hat sie es hinter den Ohren, aber sie ist ein so niedlicher Fratz, dass sie es mit einem Lächeln alles wiedergutmacht und man ihr nicht böse sein kann. Den Stefan wickelt sie ständig um den Finger, der lässt ihr alles durchgehen. Ariane hingegen greift auch mal durch. Das brauchen die Kinder ja genauso wie das Verwöhnen, dass ihnen einer die Grenzen aufzeigt. Jedenfalls plappert das Kind am laufenden Band, da kommen Se bald nicht mit! Erst recht, wenn sie vom Kindergarten erzählt. Lisbeths beste Freundin heißt Lena. Die wollte neulich zum Spielen zu Lia, aber Lia war nicht da, sondern bei Lina. Also ist sie zu Lina, da waren Laura, Luisa, Lara und Lisa. Dann kam die Mutti von Lena zum Papa von Lia und hat sie abgeholt. Also, die Lena. Glaube ich, wissen Se, ich hatte den Überblick ein bisschen verloren, zumal das in dem Alter ja auch noch wechselt mit der besten Freundin. Jetzt heißt die nämlich Lilly. Große Güte, da dreht sich mir der Kopf!

Allerdings muss ich zugeben, dass das nicht unbedingt eine Macke der jungen Leute ist mit den Namen. Das ist in meiner Generation ganz genauso. Wenn ich mit Gertrud zum Seniorentreff gehe, dann müssen wir bei der Tischordnung an der Kaffeetafel nicht nur aufpassen, dass wir nicht die gleichen Krankheiten zusammen platzieren, sondern auch auf die Namen achtgeben. Letzthin hatten wir Gudrun, Gundi, Gunda und die beiden Gundels mit Gertrud an einen Sechsertisch platziert. Das harmonierte zwar einigermaßen von der Anamnese her – zweimal Blutdruck, zweimal Rücken, einmal Zucker und einmal Gicht, die hatten gut zu plaudern –, aber bei den Namen kam ich nicht mehr mit, als Gertrud hinterher berichtete. Wissen Se, ich kann schon die beiden Gundels nicht auseinanderhalten! Die haben eigentlich nicht viel miteinander zu tun, aber wie es der Zufall will, waren sie beide je zweimal verheiratet und wurden beide Male in kurzem Abstand Witwe. »Wenn die Gundeln Trauer tragen«, sagte Kurt. Ein Schelm isser manchmal, unser Kurt, hihi!

Ariane ist nicht so eine Schraubermutti, wissen Se. Hubschrauber. Helikopter. Sie wissen schon, so eine, die nur hinter den Kindern her ist und ständig allen Leuten erzählt, was ihre Kinder schon können, was sie nicht essen dürfen und was die Kindergärtnerin wieder alles falsch gemacht hat. Nee, so eine ist die Ariane nicht. Sie ist eine gute Mutter. Sie erzieht mit Herz, Verstand und auch ein bisschen Strenge. Die Mädchen dürfen alleine im Garten spielen, und sie föhnt ihnen auch nicht im Winter die Toilettenbrille warm. Prächtige Kinder sind das: lebendig, aufgeweckt und ein bisschen frech. Besonders in der kleinen Agneta erkenne ich mich manchmal wieder. Das kann von der Erbfolge gar nicht sein, das weiß ich auch. Schließlich ist Stefan angeheiratete Verwandtschaft meines ersten Mannes Otto und stammt nicht aus der Linie der Strelemanns. Trotzdem ... wenn die Kleine manchmal so guckt, dann habe ich das Gefühl, die denkt das Gleiche wie ich. Die sagt oft nichts, sondern flitzt in ihr Kinderstübchen und macht dann einfach. Ach, ein liebes Kind ist das. Am liebsten möchte ich ihr mit auf den Weg geben: »Agneta, die Welt ist manchmal grau wie ein Novembertag, aber du hast deine Fantasie. Bewahre sie dir, und male damit deine Welt bunt wie eine Blumenwiese.«

Nee, eine Helikoptermutti ist Ariane nicht. Manchmal, wenn sie vom Spazieren zurückkommt und nur ein Kind mithat, ruft sie Stefan an und fragt, ob das richtig ist. Bisher war es immer richtig, wissen Se, oft bringt der Stefan die Große zu einer Freundin zum Spielen oder fährt sie zum Turnen. Da verliert man schon mal den Überblick! Aber bisher haben sich die beiden Goldstücke jedes Mal wieder angefunden, und alles war wunderbar.

Die schleppen da Zeuchs an zu ihrem Gruppenfrühstück, Sie ahnen es nicht. Man muss das mit eigenen Augen gesehen haben. Gertrud und ich gehen ja öfter zum Oma-und-Opa-Tag in den Kindergarten. Bei Lisbeth sowieso, aber auch einfach mal zu anderen Kindern. Wissen Se, es muss nicht immer Beerdigung sein. Bei einem Kindergartenfrühstück gibt es das viel gesündere Essen und nicht nur Zuckerkuchen! Da kommt mal Abwechslung in die Tupperbüchse. Wenn Sie der Erzieherin sagen »Ich bin die Oma von Lena«, gibt es im Grunde nie ein Problem. Eine Lena ist immer dabei, in jeder Gruppe. Meist nicht nur eine! Na, und dass das Kind fremdelt und sich dumm hat, wenn es uns sieht, ist nun auch normal. Wir kümmern uns auch gar nicht viel um die Blagen, sondern gucken, dass wir die Hähnchenkeulen vom Büfett eingetuppert kriegen, und dann sind wir auch schon wieder weg. Quarkspeise haben die auch meist da, grooooße Schüsseln voll, fein angemacht mit Erdbeeren. Ach, das ist ein Gedicht!

Wie dem auch sei, wir hatten einen so geselligen Nachmittag mit Ariane und Stefan auf dem Zeltplatz, dass ich es richtig schade fand, dass die jungen Leute nicht bis zu unserem Grillfest am nächsten Tag bleiben konnten. Ariane und Stefan waren so entspannt und erholt nach ihrem Hochzeitstagsausflug, ach, sie wirkten wie frisch Verliebte und waren gut gelaunt. Ilse und Kurt krochen derweil durch das Gras. Lisbeth und Agneta wollten unbedingt »Hoppe Reiter« spielen, aber da das Pony von Saldinis trotz keltischer Heilsteine noch immer nässende Stellen im Fell hatte – Kirstens Detox wirkte wohl langsamer als gedacht –, hatte Ariane den Umgang mit dem Pferd strikt verboten. Ilse und Kurt mit kaputtem Knie und Bandscheibe auf Notbetrieb krochen also nun über die Wiese und wieherten, während Lisbeth und Agneta, mit Ilses Gänseblümchenkränzen geschmückt, ihnen die

Sporen gaben. Ich nahm einen Korn, damit mir nicht ein Kommentar rausrutschte. Das würde am nächsten Tag was geben, ich sah Ilse schon mit der großen Tube zum Einreiben am Frühstückstisch sitzen.

Lisbeth sprach es als Erste aus: Sie wollte hierbleiben und bei Oma Ilse und Opa Kurt schlafen. Das ging natürlich nicht, wissen Se, unser Campingbus war für uns drei Alte hinreichend, aber für Besuch war nun wirklich kein Platz mehr. Hinzu kam, dass Ariane sich unter keinen Umständen dazu bewegen lassen wollte, auf dem Campingplatz zu schlafen. »Eher friert die Hölle zu«, machte sie noch mal ganz klar. »Ich will ein Bett, und zwar keins auf Rädern.«

Stefan fand die Idee, noch zwei Nächte zu bleiben, gar nicht so übel. Es reichte hin, wenn man am Sonntag nach Hause zurückkehrte, denn erst am Montag mussten alle wieder zur Arbeit und in den Kindergarten. Also brachte er das Hotel in Riethagen ins Spiel, an dem sie auf der Anreise vorbeigekommen waren. Es lag nicht weit weg, und dort könne man doch … Ariane zögerte noch.

Da hatte ich dann eine Idee:

Ich schlug vor, dass die Mädchen bei Ilse und Kurt auf dem Zeltplatz bleiben und ich mit den jungen Winklers ins Hotel fahre. Die Kinder konnten so das Abenteuer Camping erleben und in meinem Bett schlafen, Ilse und Kurt konnten ihre Großelterngefühle mal wieder ausleben, Stefan und Ariane hatten zwei Nächte für sich, wo sie entweder richtig ausschlafen, oder was auch immer junge Eheleute so machen, konnten, und ich, na, ich hatte endlich ein richtiges Bett und vielleicht sogar eine Badewanne! Wissen Se, diese Duschen waren nicht schlecht, aber eben doch ein Provisorium. Ein schönes

Schaumbad! Ach, danach sehnte ich mich. Wobei ich ja immer Latschenkiefer nehme, das erfrischt und belebt. Was Se da heute alles kaufen können! Es gibt so Zeug wie »Fantasie der Sinne«, »Winterwunder Glitzerzauber« oder »Beglückende Achtsamkeit«. Das wäre alles der Gefühlswelt angepasst, sagt Ariane. Es tut mir leid, ich habe für so einen Blödsinn nicht die passenden Gefühle. Ich will Latschenkiefer!

Na, da gab es keinen mehr, der damit nicht einverstanden war. Stefan telefonierte mit dem Hotel, und wir machten sogleich Meldung beim Habicht. Es musste ja alles seine Ordnung haben! Ilse füllte das Formular aus und schrieb die Nummern von Ariane und Stefan auf, damit im Notfall angerufen werden konnte. Sie wissen ja, wie das ist: Erst ist die Vorfreude groß, aber wenn es dann ans Schlafen geht und der richtige Teddy nicht da ist, gibt es ein Gedudel bis in die Puppen.

Wissen Se, es war kein sehr feines Hotel. Es wurde hauptsächlich von Handwerkern genutzt, die auf Montage unterwegs waren und die für eine Nacht eine billige Unterkunft brauchten. Das sah man schon am Parkplatz, der mit lauter Kleintransportern vollgestellt war. Ich bin nun wirklich keine Oma auf der Erbse, also keine, die ein extra Kissen aus handgerupften Daunen verlangt oder die sich beschwert, wenn es zu laut ist. Eine Renate Bergmann ist genügsam und kommt meist mit dem zurecht, was man ihr anbietet. Aber sauber will ich es haben. Sauberkeit kann man doch wohl verlangen! In dieser Unterkunft musste man nicht mal auf die Knie gehen, um zu sehen, dass die Scheuerleisten grintelig waren. Der Kopfkissenbezug war auch nachlässig gemangelt. Ich hielt den Mund, wissen Se, wir waren nur für zwei Nächte hier. Das Bett und das Badestübchen waren zumindest sauber.

Ich ließ mir gleich ein schönes Bad ein – ach, herrlich war das! Nicht zu heiß, immerhin hatten wir Sommer, aber auch nicht eisekalt. Da kommt der Kreislauf erst richtig in Wallung! Nee, schön warm und entspannend. Ich ließ die Türe auf und sagte auch Stefan Bescheid, wissen Se, in meinem Alter sind Badewannen gefährlich.

Wenn ich zu Hause bade, melde ich das auch immer bei Frau Meiser, dass sie den Fernseher leiser stellt, damit sie mich im Fall des Falles schreien hört. Ich wäre nicht die Erste, die ausrutscht und sich den Oberschenkelhals bricht, nee, da ist Vorsicht die Kompaniemutter!

Mein Zimmerchen lag ruhig nach hinten raus. Ich war nicht hier, um das Personal zu schulen oder einen Aufstand zu machen. Deshalb schaute ich mich gar nicht weiter groß um. Das musste man auch nicht, die Spinnweben an der Decke sah ich auch vom Bett aus, als ich mein Nachtgebet sprach.

Ich habe wirklich prima geschlafen, tief und fest. Ohne Ilses Schnarchen fehlte mir aber regelrecht was, muss ich zugeben. Man gewöhnt sich doch recht schnell daran.

Um acht hatte ich mich mit Stefan und Ariane zum Frühstück verabredet. Das ist eine gute Zeit, wissen Se, da hat jeder ausgeschlafen und kann nicht meckern, dass er früh rausmusste, und trotzdem hat man noch was vom Tag. Immerhin stand heute unser Grillabend auf dem Programm, da war noch viel zu tun, und wir konnten nicht erst am Nachmittag wieder auf dem Zeltplatz eintrudeln.

Als wir runterkamen, war der Speisesaal verwaist.

Das Büfett war leer geräumt. Die Kellnerin guckte recht böse und regelrecht beleidigt, dass wir um die Zeit noch kamen. »Die meisten sind ja schon auf der Arbeit und die Urlauber am Strand«, sprach sie schnippisch von oben herab und guckte mich abfällig dabei an, statt »Guten Morgen« zu wünschen, wie es sich gehört hätte. Das sollte wohl bedeuten, dass wir ihr zu spät waren und sie gern mit dem Abwasch schon fertig gewesen wäre.

Sie hatte eine sehr tiefe, rauchige Stimme. Da hatten die Wechseljahre, viele Schachteln Zigaretten und so mancher Liter Schnaps ganze Arbeit geleistet.

Die Tische waren so, wie sie die Monteure hinterlassen hatten. Keinen Handschlag hatte die Kellnermadame gemacht und mal was abgeräumt, sondern wahrscheinlich eine nach der andern »geschmökert«, wie die jungen Leute sagen, wenn sie rauchen. Aus ihrem Kabäuschen, in dem sie sich versteckt hielt, kam jedenfalls röchelndes Gekicher und eine dicke Rauchschwade. Ariane rümpfte die Nase, und ich ahnte schon, dass es gleich Ärger gäbe.

Ein letzter Tisch war noch frisch eingedeckt für drei Personen. Er stand dicht neben der Eingangstür. Normalerweise hätte ich mich da nie hingesetzt, weil es vielleicht zieht, aber uns blieb ja keine Wahl.

Nachdem wir kurz die Reste von Wurst und Käse besichtigt hatten, klopfte ich vorsichtig, wie es sich gehört, an die Türzarge der offen stehenden Räucherkammer. Die Dame fächerte sich wortlos den Zigarettenrauch vorm Gesicht weg, damit se mich besser sehen kann, und riss die Augen weit auf. Das hieß wohl: »Was kann ich für Sie tun?« Jedenfalls deutete ich das so und fragte höflich, ob sie uns wohl frischen Bohnenkaffee bringen könnte.

»Da steht noch welcher«, gab sie von oben herab Antwort.

Ariane, die mitgehört hatte, rief »Nicht auf unserem Tisch!« aus dem Gastraum.

Ich guckte das Fräulein, so streng ich konnte, über die Brille an und bekam zu hören: »Aber auf den anderen Tischen. Da ist überall noch Kaffee drin.«

Da hatte se wohl recht. Zwischen den Eierschalen, der Wurstpelle und den schmutzigen Tellern standen überall auf den verlassenen Frühstückstafeln schwarze Thermoskannen. Stefan und Ariane schüttelten dran, und tatsächlich, hier und da waren noch Neigen drin. Mir ging das gewaltig gegen den Strich, dass ich hier die Reste bekam. Wissen Se, ich bin keine, die gern Lebensmittel wegschmeißt. Wenn bei mir Salzkartoffeln übrig bleiben, werden die gesammelt für Bratkartoffeln, und wenn noch Bratensoße da ist, schlage ich mir ein Ei rein und habe eine Mahlzeit. Ich habe noch die schweren Jahre nach dem Krieg mit durchgemacht, ich kenne noch die Zeit, als wir Essen nur auf Lebensmittelkarte bekamen und gut wirtschaften mussten, um satt zu werden. Aber wenn man versucht, mich mit kaltem, abgestandenem Kaffee abzuspeisen, der vielleicht seit der letzten Konfirmationsfeier dasteht oder doch zumindest seit dem Morgengrauen, dann ist das eine Frechheit. Ich rang mit mir, ob ich mir das gefallen lasse. Wahrscheinlich hätte ich sogar den Kaffee genommen, aber als ich die Kanne schüttelte und mir so ein raschelndes Geräusch in die Ohren drang, da war es aus.

Kennen Se das, wenn so ein Grint in der Kanne ist, der sich in Bröseln ablöst? So Kalkbelag. Das raschelt dann so, als wäre feiner Ostseesand im Kaffee. Nee, pfui, also das war dann zu viel. Ariane bekam einen richtigen Würgereiz und machte der qualmenden Dame sehr deutlich klar, dass es nun an der Zeit wäre, für uns doch noch eine Filtertüte einzusauen. Wir hatten schließlich bezahlt, und zwar mit Frühstück. Da konnte man doch wohl auch einen Bohnenkaffee verlangen, von dem man keine Diarrhö bekommt! Wissen Se, ich darf von der

Doktorschen her nur eine Tasse pro Tag, da soll der dann aber auch schmecken.

Wir suchten uns die Reste vom Büfett, genossen unseren frisch gebrühten Kaffee und ertrugen das Geschirrgeklapper. Die Dame fing nämlich nun an, die anderen Tische abzuräumen und ließ ihre Wut über unsere Frechheit, einen frischen Kaffee zu verlangen, am Besteck aus. Wissen Se, wir ließen sie klappern. Auch Ariane sagte nichts mehr, denn sie wollte eh nicht zwei Stunden gemütlich und ausgiebig frühstücken, sondern so bald wie möglich zum Campingplatz zurück. Schließlich hatten die Kinder bei Ilse und Kurt geschlafen, und auch wenn Ilse als pensionierte Lehrerin und erfahrene Großmutter mit allen Fähigkeiten einer Pädagogin wohl zweier kleiner Mädchen Herr werden würde, macht man sich als Mutter eben doch seine Gedanken. Auch Stefan hatte Sehnsucht nach den beiden Mäusen, und so machten wir uns alsdann wieder auf den Weg zurück zum Zeltplatz. Es stand ja auch unser Ilsedankfest an, und da gab es alle Hände voll zu tun.

Gläsers und die Kinder waren prima zurechtgekommen, sie empfingen uns bester Laune. Lisbeth war ein bisschen müde, was aber nicht daran lag, dass sie bis in die Puppen rumgetobt hatte.

»Oma Ilse hat so laut geschnarcht, Papa, ich konnte gar nicht schlafen!«, berichtete Lisbeth dem Stefan.

Ilse tat so, als hätte sie es nicht gehört, aber Kurt nahm das dankbar auf: »Hörste, Ilse? Mir will es ja immer keiner glauben, dass du sägst wie ein Waldarbeiter!«

»Du auch, Opa Kurt!«, fuhr ihm Lisbeth in die Parade.

Ich musste so lachen! Ach, das würde ein schöner Tag werden, ich hatte das im Gefühl.

Frau Saldini wuselte schon gleich nach dem Mittag bei uns vorm Vorzelt rum. Sie war ganz aufgeregt und hatte Angst, sie würde bei den Vorbereitungen was verpassen. »Ich habe noch eine Lichterkette, damit können wir es gemütlich schmücken!«, rief sie aufgeregt und wartete gar keine Antwort ab, sondern lief gleich rüber zu ihrem Bungalow und holte das Ding. Es war eine unendlich lange Kette, die wohl um ihr ganzes Zirkuszelt gereicht hätte. Ilse und ich bestanden darauf, dass dieses Ding nicht an unseren Campingbus geknüppert wird. Schließlich weiß ja kein Mensch, wie viel Strom das Trumm frisst, ich bitte Sie! Andererseits würden wir nicht abends noch abschmücken, sondern die Leuchten blieben bis zum nächsten Tag hängen. Denken Se nur, wenn da ein Fernfahrer vorbeikommt und an einem Wohnwagen rote Beleuchtung sieht, der denkt noch, hier hausieren leichte Mädchen und klopft uns auf der Suche nach … Beischlaf … aus den Träumen!

Im Grunde wollten wir mit unserem Fest ja gegen fünf am späten Nachmittag beginnen. Das ist eine gute Zeit, wissen Se, der Grill muss ja erst durchbrennen, und bis die Männer den in Gang gebracht und mit dem Föhn gepustet und dem Tablett die Glut herbeigewedelt haben, vergeht auch seine Zeit. Üblicherweise trudeln auch alle so nach und nach ein, man kennt das ja. Da gibt es die Zufrühkommer, die schon eine halbe Stunde vor der Einladung läuten, während man selber noch die Wickler im Haar hat, und andere kommen grundsätzlich und notorisch zu spät, weil sie die Aufmerksamkeit brauchen und ihren Auftritt in Szene setzen. Alle sollen schließlich wissen, wie wichtig sie sind. Deshalb hielten wir fünfe am Nachmittag für eine schöne Zeit, da hätten wir dann Zeit zu plaudern und ein Gläschen Bowle zu genießen, und gegen halb sieben würden wir alle was auf dem Teller haben.

Aber irgendwie kam alles ganz anders.

Den ganzen Nachmittag über, gleich nach der Mittagsruhe, war auf unserem Stellplatz ein Gewusel. Alle wollten beim Schmücken helfen, manche brachten schon ihren Beitrag zum Essen vorbei, und Frau Hupe verteilte großzügig von ihrem süßen Schpumante. Herr und Frau Saldini kamen mit dem Pony vorbei, und die Kinder durften – an der Leine und nur im Schritt – reiten. Sogar Ariane erlaubte, dass Agneta trotz der nässenden Stelle im Fell aufsaß. Lisbeth wollte nicht, die gab lieber wieder Ilse die Sporen, die wiehernd mit dem Kind über den frisch gemähten Rasen trabte. Die Kinder ritten auf dem Pony Hubert, auf Klaus Hupe und auf Ilse. Auf Kurt nicht, der war so aufgeregt wegen des Grillens, dass er schon ab Mittag mit der Drahtbürste den Rost abkratzte und jedem freudig zuwinkte.

Und so verbrachten wir, ohne dass wir es merkten, den ganzen Tag in fröhlicher Gemeinsamkeit miteinander. Wir erzählten, klatschten Mücken weg und lachten. Ganz ungezwungen, ohne, dass einer auf die Uhr geguckt hätte, verstehen Se? Es ergab sich so und war sehr schön.

Ilse gab bereitwillig jedem, der mal austreten musste, von dem rosa Toilettenpapier. »Es sind schon vier Rollen weg, Renate. Dem Himmel sei Dank! Wenn der Nachtisch mit den rohen Eiern von der Saldini so durchschlägt, wie ich denke, gehen noch mindestens sechs

Rollen drauf, und ich kann vielleicht bald wieder an die linke Tür vom Schlafstubenschrank!«, flüsterte sie mir freudig mit einem Glitzern im Auge zu, als wir zwischendurch mal die Gläser spülten.

Das Glitzern schlug bald um, denn die kleine Hupe trug auf der Blockflöte »Meine Oma fährt im Hühnerstall Motorrad« vor. Das brachte natürlich die ganze Geschichte noch mal aufs Tapet, was Ilse sehr unangenehm war. Sie wurde ganz fahrig, und als sich auch noch alle im Kreis aufstellten und mitklatschten und sangen, gefiel ihr das gar nicht.

»Meine Oma fährt im Hühnerstall Motorrad,
Motorrad, Motorrad;
Meine Oma fährt im Hühnerstall Motorrad,
Meine Oma ist 'ne ganz patente Frau!«

So sang die ganze Campingplatzgemeinschaft. Alle bis auf Ilse. Die machte ein Gesicht wie drei Tage Regenwetter. Aber da musste sie nun mal durch, das hatte sie sich selbst eingebrockt. Gott sei Dank kannte keiner mehr als die erste Strophe, und so war das Ständchen bald überstanden. Sie konnte froh sein, dass Frau Schlode nicht zugegen war, die hätte Stefan noch die Gitarre holen lassen und Säwännah Bijonzie zum Tanzen animiert. Es spielte Ilse auch in die Karten, dass die Grillwürstchen fertig waren und sich alle erst mal auf die stürzten.

Wissen Se, es brachte zwar jeder Salat, Sojabratlinge und Spieße mit buntem Gemüse mit, aber am liebsten gegessen wurden am Ende ja doch die knackigen Thüringer. Deshalb ließ die Meute ab vom Gesang und rannte mit den Tellern zum Grill, wo Kurt, Herr Hupe und Herr Saldini mit langen Zangen die Würstchen verteilten. Später, nach dem Essen, sollte es noch eine Zugabe auf der Blockflöte geben, aber trotz großer Suche blieb die Flöte verschwunden. Der Grill rauchte aus unerklärlichen Gründen wieder, und Ilse guckte auffallend unauffällig. Man konnte ihr aber nichts nachweisen.

Wir hatten auch die Steinwessels eingeladen. Brigitte hatte ein Blech Kuchen dabei, halb mit Äpfeln und halb mit Streusel belegt. »Der Pfarrgartenbaum hat dieses Jahr kaum getragen, es reichte nur für ein halbes Blech«, merkte sie enttäuscht und entschuldigend an. »Das ist merkwürdig, ein paar Tage vorher sah es noch nach reichlicher Ernte aus.«

»Aber, Frau Steinwessel«, parierte Ilse gekonnt, »machen Sie sich keine Sorgen! Streusel wird doch auch gern gegessen. Kommen Sie, suchen Sie sich einen Platz, holen Sie sich eine Wurst!«

Sogar die Knurrhahns ließen sich kurz blicken und aßen eine Wurst mit uns. Wir staunten nicht schlecht, die mieden nämlich sonst die Gemeinschaft. Sie hatten zwar nicht mitgekriegt, was überhaupt los gewesen war, aber wo nun alle beisammensaßen, bekam Else es mit der Angst zu tun, weil sie dachte, es wäre eine Feuerschutzübung, die sie nicht verpassen durften. Ach, nett war es, dass sie auch mal rauskamen!

Aber statt einer Feuerschutzübung machten wir Feuer. Ein richtiges gemütliches Lagerfeuer zündeten die Männer unter Leitung von Herrn Hupe an. Der hatte das als Überraschung mit Günter Habicht vorab ausbaldowert, dass die Platzordnung ausnahmsweise mal außer Kraft gesetzt wurde und wir ein Lagerfeuer ankokeln durften.

Günter saß mit seinem Bierchen sogar unter uns. Er hatte sich extra schick gemacht und trug seinen mintgrünen Festtags-Jockinganzug und eine Schiebermütze mit der Aufschrift »Make Camping great again«.

Ich setzte mich zu Ilse und Kurt rüber. Die letzten paar Tage, die nun bis zur Abreise am Mittwoch vor uns lagen, würden wir ruhig verbringen, ohne Besuch und ohne Aufregung. Wir würden Verdauungsspaziergänge machen, die Stille genießen und uns auch schon ein bisschen auf zu Hause freuen. Ach, wie ich Katerle vermisste! Ich freute mich so darauf, ihn im Fernsehsessel auf dem Schoß zu kraulen, bis wir beide einschnobbeln (bei dem Programm ist das ja wohl kein Wunder!). Wir hatten schöne, aufregende und doch erholsame Wochen. Prima waren Gläsers und ich ausgekommen auf so engem Raum. Ja, das ist nicht selbstverständlich, auch wenn man sich so lange kennt! Eigentlich gerade *wenn* man sich so lange kennt. Ich freute mich darüber, wie gut sich Gläsers erholt hatten. Kurt hatte vom Hals aufwärts, da, wo Ilse mit ihrer Sonnenschutzpaste nicht hochreichte, sogar ein bisschen Farbe bekommen. Und mein Ilschen erst! Die war regelrecht aufgeblüht. Nur ihr Knie war vom vielen Hoppe Reiter mit den Kindern ganz schön lädiert. Sie trug deshalb Einreibe von der Doktorn als erste Schicht auf ihr Knie auf und leimte dann erst Sonnenmilch drüber, jammerte aber kein bisschen, sondern strahlte glücklich.

»Weißte, Renate, irgendwann müssen wir alle abtreten. Selbst die, die gar nicht richtig gelebt haben. Da halte ich lieber ein bisschen Piksen im Knie aus, als dass ich auf den Spaß mit den Kindern verzichte.«

Ach, ich wurde richtig wehmütig, wenn ich daran

dachte, dass unsere Ferien nun bald zu Ende gehen würden. Stefan und Ariane würden Mittwoch wieder herkommen und uns abholen. Ariane setzte sich zu uns ans Lagerfeuer. Aber wissen Se, so schön ein Urlaub auch ist: Wenn er rum ist, freut man sich doch auf sein Zuhause.

Ariane spürte das und fragte: »Worauf freut ihr euch denn am meisten, wenn ihr nach Spandau zurückkommt?«

Ilse erwiderte wie aus der Pistole geschossen: »Auf meine Badewanne. Wisst ihr, man arrangiert sich mit den Umständen, und die Duschen sind auch sauber, da will ich gar nichts sagen. Aber eine eigene Badewanne ist doch was ganz anderes!«

Ich pflichtete ihr bei. Ich war ja gestern erst in den Genuss gekommen, aber um Ilse nicht zu ärgern, hatte ich das nicht an die große Glocke gehängt. Die hätte sonst bloß früher nach Hause gewollt! Ich sagte deshalb nur diplomatisch: »Ich freue mich darauf, endlich die Waschmaschine anzustellen.« Das ist nach einer Reise immer das Erste, was ich mache; ich packe den Koffer aus und stelle die Waschmaschine an. Erst dann gucke ich die Post durch und mache mir einen Kaffee.

Ariane nickte und wandte sich an Kurt.

»Und Sie, Herr Gläser?«

»Nun hör doch mal auf, immer Sie zu mir zu sagen, Meechen!«, knurrte Kurt. »Ich bin Onkel Kurt, und basta! Ich werd gleich nächste Woche mal Toilettenpapier nachholen. Das scheint mir knapp zu werden!«

Ilse rang nach Worten, und ich muss Ihnen gestehen, dass ich sehr große Mühe hatte, mir das Lachen zu verkneifen.

Es war sehr schön, als wir da alle Mann so zusammen ums Feuerchen herumsaßen. Ich hatte die Frau Hupe unterschätzt: Sie glauben es nicht, aber sie hatte als Überraschung sogar Stockbrotteig für alle vorbereitet! Na, das war eine Freude, nicht nur für die Kinder. So direkt durfte Kurt den ganzen Urlaub über nicht in den Flammen rumstochern wie mit dem Teig am Spieß. Seine Augen leuchteten, das können Se sich gar nicht vorstellen. Man konnte die lodernden Flammen des Lagerfeuers sich in ihnen spiegeln sehen, und es mischte sich das Feuer seiner Freude dazu.

Günter Habicht mahnte jeden, vorsichtig zu sein mit dem Feuer. Er war aber nicht wie sonst. Er guckte an dem Tag nicht grimmig wie üblich, sondern sorgenvoll. Das war ein Unterschied, die Augen waren nicht so verkniffen und funkelten nicht böse. Der grübelte offenbar.

Wissen Se, eine Renate Bergmann merkt doch, wenn einem Menschen was auf der Seele liegt. Ich nahm ihn mir also auf die Seite und sprach ihn an, aber er winkte unwirsch ab. Nun bin ich keine, die sich gleich abwimmeln lässt, das können Se sich ja denken. Ich mische mich nicht ungefragt in anderer Leute Angelegenheiten, aber manchmal muss man den Dingen auf den Grund gehen. Wenn man ein paar Jahre auf dem Buckel und eine gewisse Lebenserfahrung hat, spürt man, wann das angebracht ist. Ich ließ also nicht locker.

»Herr Habicht, es ist doch was. Sie machen mir nichts vor. Sie bedrückt doch was!«

»Ach, Frau Bergmann«, seufzte er, »genießen Sie mal Ihre letzten Urlaubstage, und machen Sie sich keinen Kopf. Alles ist in bester Ordnung.«

»Herr Habicht. Eben ist die kleine Hupe über die Rasenfläche getrampelt, und Sie haben nichts gesagt. Sie haben das Kind nicht zurechtgewiesen. Da stimmt doch was nicht mit Ihnen! Sagen Se es nur freiheraus, wenn Sie was bedrückt«, ließ ich nicht locker.

Während wir sprachen, hatten die Kinder den Stefan so weit belatschert, dass der die Gitarre aus dem Auto geholt hatte und leise »Über den Wolken muss die Freiheit wohl grenzenlos sein« zu schrammeln anfing. Die Mädchen sangen leise dazu, das kannten sie aus dem Kindergarten. Alle, die ums Feuer saßen, stimmten ein. Ach, es war sehr schön! Dem Habicht huschte ein Lächeln über das Gesicht, was aber sofort wieder verschwand, als er sich mir zuwandte.

»Das muss aber wirklich unter uns bleiben!«, sprach er ernst und guckte mich, auf eine Bestätigung wartend, an.

»Herr Habicht. Ich bin zweiundachtzig Jahre alt. Wahrscheinlich habe ich schon vergessen, was Sie mir anvertraut haben, bevor ich es überhaupt weitererzählen könnte«, beruhigte ich ihn. Als er immer noch zögerte, mit der Sprache rauszurücken, ergriff ich ihn am Unterarm, guckte ihm tief in die Augen und fragte: »Oder halten Se mich für ein tratschendes olles Waschweib?«

Er war ein recht einfacher, in gewisser Weise einfältiger Mann, bei dem das schon ausreichte, um ihn zum Reden zu bringen.

Es bleibt doch unter uns? Ich habe ihm versprochen, dass ich nichts sage! Aber Ihnen vertraue ich:

Denken Se nur, der Zeltplatz soll verkauft werden! Der Habicht war ganz durch mit den Nerven. Diese Zicke, die den Platz geerbt hat vor ein paar Jahren, will ihn verkaufen an Immobilienleute. Es wäre das große Geschäft zu machen mit dem Bau von Ferienhäusern, die dann teuer an Leute vermietet werden, die sich mehr Luxus leisten können als ein Zelt und Stockbrot am Lagerfeuer. Mir war die Dame schon gleich nicht geheuer, als ich die einmal kurz in ihrem teuren Auto hatte vorfahren sehen. Wenn eine schon Katharina heißt! Mit h! Wenn eine Katharina mit h geschrieben wird, dann ist die meist streng und schwierig, und es gibt Ärger. Die ohne h gehen, mit denen habe ich selten Probleme. Aber die mit h, da sage ich nur »Obacht!«. Diese Dame hatte nun den Campingplatz geerbt und nichts Besseres zu tun, als hopplahopp das Gelände zu versilbern. Das war aber so geheim, dass nicht mal die Saldini was Genaues wusste, sonst hätte die doch was gesagt!

Na ja, wundern muss man sich nicht. Man kennt doch diese jungschen Weiber. Ich will nicht alle über einen Kamm scheren, es gibt bei den Jungen wie bei den Alten solche und solche. Aber wenn die sich *solche* Borsten an die Augenlider kleben und sich mit Schuhcreme einen breiten Strich dahin malen, wo bei anderen die Brauen sitzen, dann weiß ich Bescheid. Sie beschichten sich das Gesicht mit Farbe, dicker noch als Ilse die Beine mit Sonnenmilch, und dazu tragen sie angeklebte Fingernägel aus Plastik, sehr gern auch mit aufgeklebten glitzernden Marienkäferchen. Fürch-ter-lich! Die Dame war vor ein paar Tagen hier rumgestelzt mit wichtig aussehenden Männern, welche wohl die Investoren und Baumuggel … äh, -mogule … waren, und haben dem Habicht schon mal angedroht, dass hier alles platt gemacht wird. Er durfte keine Buchungen mehr annehmen für die nächste Saison und hatte Stillschweigen zu bewahren, dazu hatte ihn das Fräulein Katharina verdonnert.

MIT h!

Na, das war ein Schreck!

Würden wir wohl noch mal wiederkommen können im nächsten Jahr? Und was würde aus Günter Habicht werden? Nicht nur aus ihm, auch aus den Knurrhahns und ihren Gartenzwergen? Aus den Saldinis und Hubert, dem Pony? Jetzt, wo die kahlen Stellen im Fell wieder langsam zuwuchsen!

Ich sage Ihnen, ich war wie geplättet.

»Herr Habicht, heute Abend retten wir die Welt nicht mehr. Wir trinken beide erst mal einen Korn auf den Schreck und überlegen die nächsten Tage in Ruhe, wie es weitergeht.«

Das war das Einzige, was mir einfiel.

»Morgen ist auch noch ein Tag«, das hatte schon die Scarlett O'Hara gesagt in »Vom Winde verweht«, und dass ein Korn hilft, na, das versichere ich Ihnen!